MARTIN WALKER

MIT JULIA WATSON

REZEPTE UND GESCHICHTEN
AUS DEM PÉRIGORD

BRUNOS KOCHBUCH

Diogenes

Markttag
Die Weihnachtsgans

Zwei kulinarische Fälle für Bruno,
Chef de police

Geminis
An'delice
Tomate de Pays
Pony Pony
NEW AURORA

Geminis
Gasben

TRAPPE
A LA NOIX
PALET
FRAIS
2€ pièce

ORIGINE GARANTIE LECTOURE
MELON DE LECTOU
ORIGINE GARANTIE LECTOURE
MELON DE LECTOU
ORIGINE GARANTIE LECTOURE
MELON DE LECTO

PESAGE 47
MELON DE LECTOURE

Origine : JARDIN,
PATISSON
CHOU RAVE
2,50 € le kg

la Botte

LE DOM'OIE
190 g
LE DOM'OIE
180 g
DOM'OIE

5€00

Fenouille
3,50 € le kg.

PLEIN AIR

Chou de MILAN
ALASKA
0,30€

BASILIC
le Bouquet
€
1,00

AMUSE-BOUCHE

Kleiner Vorgeschmack

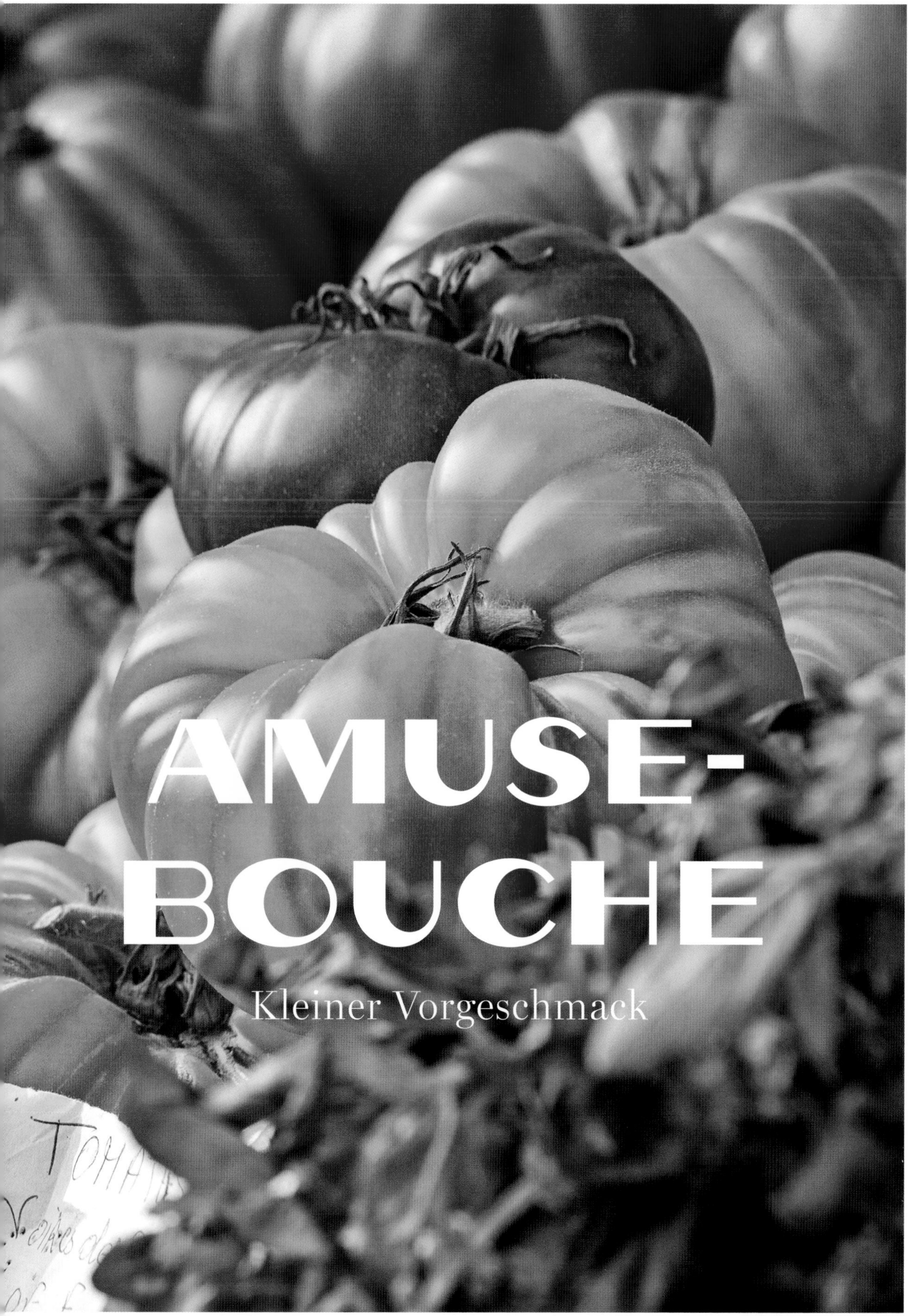

Kleiner Vorgeschmack

Aufgepasst! Dies ist kein gewöhnliches Kochbuch. Geschrieben hat es nicht etwa ein Profikoch, sondern jemand, der einfach gutes Essen liebt und von seiner Mutter, seiner Frau sowie Freunden und Nachbarn im Périgord zu kochen gelernt hat.

Das Périgord ist für jemanden wie mich, der gern kocht, ein wunderbarer Lehrer und eine Quelle der Inspiration. Wie könnte man nicht dem Drang zum Kochen erliegen, wenn die eigenen Hühner so großartig schmeckende Eier legen und der eigene Garten Gemüse von höchster Qualität hervorbringt? Wer würde, wenn er von den Äpfeln und Birnen, Kirschen, Aprikosen und Pfirsichen seiner eigenen Bäume kostet, sich nicht unwillkürlich Gedanken über Möglichkeiten der Konservierung oder Weiterverarbeitung machen, zumal die freigiebigen Bäume ihn mit diesen Früchten so überreich beschenken?

Während ich dies schreibe, platzen die Tomaten fast an den Rispen, die Auberginen hängen prall und glänzend am Strauch, die Weintrauben verfärben sich in ein sattes Violett, die Bohnen werden immer dicker und die Zucchini länger. Das Beet neben dem Hühnergehege, aus dem ich in diesem Jahr prächtige Kartoffeln gezogen habe, liegt jetzt brach bis zum Spätherbst; dann besuchen wir unsere Freunde auf dem Bauernhof und nehmen eine große Ladung *fumier* (Stallmist) mit, um ihn für den Winter in den Boden einzubringen.

Im Hof vor dem Haus, wo wir im Sommer essen, ist ein großer Kräutergarten angelegt. Darin wuchern Basilikum für unsere Tomaten, Salbei für die Backhähnchenfüllung aus Zwiebeln und Brät, Rosmarin für den Lammbraten sowie Schnittlauch, Petersilie und Thymian, die zu fast allen Gerichten passen. Es wird allmählich Zeit, eine herbstliche Gemüsemischung zu ernten und mit einer Sauce aus *crème fraîche* und Kräutern zuzubereiten.

Von einem Deckenbalken in der Küche hängen selbstgeflochtene Zwiebel- und Knoblauchzöpfe herab, daneben der Schinken, den mein Freund Blondi für uns geräuchert hat. In der Vorratskammer stapeln sich die Konservendosen mit *pâté* von dem Schwein eines befreundeten Bauern, das im vergangenen Winter geschlachtet wurde. Manche Dosen sind mit *foie gras* gefüllt. Außerdem stehen dort große Einmachgläser mit *enchaud de porc*, versiegelt durch eine weiße Fettschicht, andere enthalten *confit de canard*. Dann wären da noch die von meiner Frau eingekochten Konfitüren aus Aprikosen, Erdbeeren, Kirschen, Schwarzen Johannisbeeren und Brombeeren. Zwei Gläser mit *melons-d'Espagne*-Marmelade stammen von meinem Freund, dem ›Baron‹. Wie die meisten anderen Haushalte der Region, deren Speisekammern und Kühltruhen ähnlich bestückt sind, könnten wir in Kriegszeiten einer längeren Belagerung standhalten.

Auf der Anrichte in unserer Küche liegt ein Käsebrett von Stéphane, einem anderen guten Freund, der nur ein Stück die Straße hinauf wohnt und einen ganz besonderen Käse herstellt, den *tomme d'Audrix*. Ich kenne die Kühe, deren Milch er verarbeitet, habe schon oft zugesehen, wie er *crème fraîche* und *fromage blanc* für sein *aillou* vermengt, und ihm dabei geholfen, seine *tommes* und *Audrixois* aufzustapeln, Käsesorten, die ganz frisch sehr cremig schmecken und mit der Zeit so fest und gehaltvoll werden wie guter Parmesan.

Auf den Märkten verkauft Stéphane Käse aus allen Regionen Frankreichs; inzwischen bietet er auch Sorten aus England und Schottland an, von denen wir ihm Kostproben mitgebracht haben. Von seiner reichhaltigen Rohmilch schöpfen wir die Sahne für unsere Erdbeeren ab, und seine Butter ist von einer geradezu betörenden goldgelben Farbe. Aus Quark, saurer Sahne, Kräutern und Knoblauch stellt er ein *aillou* her, das ein einfaches Picknick in einen Festschmaus verwandelt. Dick auf eine Scheibe frisches Brot gestrichen und zusammen mit einer reifen Tomate und einem Glas Wein genossen, gibt es kaum etwas Köstlicheres. Auch aus Kartoffelpüree macht diese Käsezubereitung ein regelrechtes Festmahl. Und wenn man sie auf heißen, im dünnen Teigmantel ausgebackenen Zucchini-Scheiben oder zu gekochten Möhren

isst oder sie mit – oder statt – Sahne unter eine Sauce rührt, meint man fast, die Götter der guten Küche lächeln zu sehen.

Rund fünfzig Meter vor der Toreinfahrt zu unserem Haus rauscht die Vézère vorbei, an deren steiler Uferböschung mein Freund, der Baron, nach Forellen und Barschen angelt. An den kleinen Bachzuläufen stöbern wir *écrevisses* (Flusskrebse) auf. Nur ein wenig weiter flussabwärts mündet die Vézère in die größere Dordogne, in der sogar wieder Lachse anzutreffen sind. Sie waren durch den Bau von Stauwehren vor hundert Jahren an der Rückkehr gehindert worden, was umso tragischer anmutet, als etwa zeitgleich in der Nähe von Les Eyzies der *Abri du Poisson* entdeckt wurde, eines der zahlreichen Beispiele für prähistorische Höhlenkunst. Dieser *abri* (was so viel wie »Schutzraum« bedeutet) ist benannt nach dem großen, über einen Meter langen Lachs, der vor etwa 25000 Jahren in den Fels geritzt wurde. Noch zu Anfang des 19. Jahrhunderts zogen so viele Lachse die Dordogne hinauf, dass die Landarbeiter ihrer Herrschaft gegenüber darauf bestanden, nicht öfter als dreimal in der Woche mit diesem Fisch abgespeist zu werden. Inzwischen hat sich zu den Lachsen auch der Stör gesellt, und das Périgord hat heutzutage seinen eigenen Kaviar.

Mein Nachbar Raymond, ein pensionierter Offizier der Gendarmerie, hat heute kurz vor Mittag auf einen *p'tit apéro* vorbeigeschaut. Wir ließen uns einen Lapouge schmecken, einen Pastis, der in der nahegelegenen Stadt Sarlat hergestellt wird und uns besser schmeckt als die berühmten Marken. Raymond erkundigte sich, wie viel Kilo Fleisch wir von dem jungen Kalb haben wollten, das ein Freund von ihm zu schlachten vorhabe. Zwanzig Kilo seien schon an ihn, Raymond, und weitere zwanzig an den Baron vergeben. Doch für uns und einige andere Nachbarn bliebe auch noch genug, um unsere Tiefkühlschränke wieder aufzufüllen. Darin sollte allerdings noch Platz bleiben für das Wildbret, das im Winter zu erwarten ist, und für das in jedem Jahr anstehende Schwein. Die Supermärkte verdienen nicht viel an uns, da zu unserem Freundeskreis etliche Bauern und Jäger zählen, Fischer, Käser und all die anderen, die aus dem Füllhorn dieser großartigen Landschaft schöpfen und seine Früchte teilen.

Das Schlüsselwort in diesem Satz ist »teilen«, denn es erfasst viel von dem, was das Leben im ländlichen Périgord ausmacht. Wir hatten uns gerade unseren Pastis schmecken lassen, als sich Pierrot, unser Dorfpolizist, zu uns gesellte. Obwohl etwas älter, ein bisschen untersetzter und glücklich verheiratet, hat mich mein Freund Pierrot zu meinem Romanhelden Bruno inspiriert. Wie Bruno kennt er alle Geheimnisse des Ortes und ist klug genug, sie für sich zu behalten, außer in den seltenen Phasen, in denen eine Straftat aufzuklären ist. Auch er war Soldat, liebt gutes Essen und Wein, die Jägerei und Rugby, und auch er weiß zwischen Recht und Gerechtigkeit zu unterscheiden. Gern lässt er sich mit den Touristen fotografieren, die mit *Bruno*-Romanen auf Deutsch, Englisch, Französisch, Japanisch, Spanisch, Türkisch, Tschechisch und Norwegisch unsere Gegend bereisen. Er signiert die Exemplare mit wahrhaft gallischem Schwung.

In unserer Tiefkühltruhe finden sich neben dem gefrorenen Kalbfleisch und Wildbret auch ein paar wertvolle schwarze Trüffeln, Geschenke von Pierrot, der sie unter den Weißeichen auf seinem Grundstück aus dem Boden holt. Von seinem Land stammen auch die Schwarzen Johannisbeeren, die Julia zu Marmelade verarbeitet hat. Und das Rezept für mein *omelette aux truffes* verdanke ich ebenfalls ihm. Es war vor einem jener Mittagessen – man könnte sie auch Festgelage nennen – freitags nach dem Tennisspielen, als er mir zeigte, wie man es zubereitet. Meiner Frau hat Pierrot beigebracht, *pommes de terre à la sarladaise* zu kochen, und von ihm bekamen wir auch unsere ersten *bécasses* (Schnepfen) serviert. Er hatte sie geschossen und meine unerschrockene Frau davon überzeugt, den gebackenen Vogel wie eine echte Périgourdine beim Schnabel zu halten und mitsamt Kopf und Knochen zu verzehren.

Wie könnte sich ein Zugereister für so viel Großzügigkeit revanchieren, jemand, der keine Erfahrung hat mit Gemüseanbau und Gärtnerei und gerade erst anfängt, sich mit der Kochkunst zu beschäftigen? Dank meiner schottischen Herkunft wusste ich Rat. Zum nächsten freitäglichen Mittagessen nach dem Tennistraining brachte ich ein paar Probiergläschen und eine Auswahl an Malz-Whiskys mit. Auf einer Landkarte zeigte ich, wo die verschiedenen Sorten gebrannt werden. Zu viert verkosteten wir einen Glenkinchie aus den Lowlands, einen Glenmorangie aus den Highlands, einen Macallan aus der Speyside, einen Talisker von der Insel Skye und den torfigsten aller schottischen Whiskys, einen Laphroaig von der Insel Islay. Zum krönenden Abschluss schenkte ich meinen Lieblingstropfen aus,

Grillades
d'Agneau
*Petite assiette 3€
*Grande assiette
5,50€
*Merguez
ou
Saucisses
La

einen Lagavulin, ebenfalls von Islay. Franzosen, die zwischen einem Bordeaux und einem Burgunder, einem Saussignac und einem Pécharmant unterscheiden können, wissen um die Bedeutung der unterschiedlichen Regionen und verstehen, dass das *terroir* beim Whisky ähnlich entscheidend ist wie bei Weinen. Wir hatten jedenfalls ein sehr launiges Mittagessen, zu dem uns Pierrot ein Omelett mit *boutons de pissenlit* auftrug, den kleinen grünen Löwenzahnknospen, die er an diesem schönen Frühlingsmorgen gesammelt hatte.

Mit der Whiskyverkostung wurde eine neue Tradition ins Leben gerufen. Wenn der Tennisklub feiert und wir früh am Morgen Holz für das Feuer aufschichten, über dem ein *sanglier* (Wildschwein) gegrillt werden soll, bringe ich eine Flasche Scotch mit, dazu Lorbeerzweige, jede Menge Thymian und andere Kräuter für die Füllung und zum Binden der Bürste, mit der wir später den Braten alle paar Minuten mit unserer speziellen Marinade bestreichen. Ist das Wildschwein gefüllt, zugenäht und auf den Spieß gesteckt, taufen wir es mit einem ordentlichen Schluck Scotch. Die Sonne geht auf, und wenn die Flammen lodern, das Fett zu tropfen anfängt und der Bratenduft unsere Sinne betört, lassen wir die Flasche mit dem restlichen Inhalt kreisen. Selten kommt ein Schlückchen Whisky gelegener.

Inzwischen dürfte der Aufbau des vorliegenden Buches deutlich geworden sein. Wir haben uns bewusst gegen eine herkömmliche Gliederung nach Vorspeise, Hauptgericht und Dessert oder nach einer jahreszeitlichen Abfolge der Menüs entschieden und einen Weg gewählt, der zurück zu den Wurzeln der Speisen führt.

Darum stellen wir in jedem Abschnitt die Person oder die Fertigkeit in den Vordergrund, der das jeweilige Gericht zu verdanken ist – den Jäger, den Angler, den Käser, Bäcker und so weiter. Ein besonderes Kapitel, *Le maraîcher* (Der Gemüsebauer) widmet sich dem *potager*, also dem Gemüsegarten, aus dem so vieles, was wir essen, hervorgeht. Und da wir uns im Périgord aufhalten, wo uns eine günstige Fügung auf den Feldern, in den Wäldern und an den Heckensträuchern mit einer Vielzahl von Delikatessen beschenkt, haben wir ein Kapitel dem *ramasseur* vorbehalten, also demjenigen, der nach Pilzen, Trüffeln, Schnecken, wilden Kräutern und Gewächsen sucht, die die hiesige Küche so einzigartig machen und im wahrsten Sinne des Wortes erdverbunden sein lassen.

Im Mittelpunkt der französischen Küche steht die vortreffliche Institution des Marktes. Dort kaufen wir das Gemüse, das in unserem *potager* noch nicht reif ist (oder schon gegessen wurde), darüber hinaus *charcuterie* und Kaninchen, Tauben und Pilze, Vanilleschoten und exotische Früchte, und wir schaffen es nie, am Stand des Fischhändlers vorbeizugehen, ohne uns mit Muscheln, Austern oder frischem Seefisch zu versorgen, die früh am Morgen desselben Tages aus dem Atlantik an Land geholt worden sind. Der Markt ist es, wo wir den neusten Klatsch hören, wo wir uns mit Freunden zu einem Kaffee und einem Croissant auf der Terrasse treffen und wo wir die jüngsten amtlichen Mitteilungen des Bürgermeisteramtes lesen. An dem einen Stand lassen wir uns vietnamesische *nems* schmecken, an einem anderen *Cornish pasties* und *sausage rolls* (Würstchen im Schlafrock), mit denen eine englische Lady den nostalgischen Bedürfnissen zugereister Landsleute Nahrung gibt, oder wir besorgen uns fürs Mittagessen ein frisch gebratenes Hähnchen, wenn wir selbst zu faul zum Kochen sind. Und es ist auch auf dem Markt, wo wir ein Glas Wein mit Stéphane trinken, der seinen *casse-croûte* genießt, eine Zwischenmahlzeit am Vormittag, eingenommen in der Runde befreundeter Händler, die schon um vier in der Früh aufgestanden sind, um ihre Verkaufswagen und -stände aufzustellen.

Alles beginnt auf dem Markt…

N.B. Manche der in diesem Buch empfohlenen Rezepte unterscheiden sich ein wenig von denen, die Bruno in seinen Geschichten vorstellt. Das liegt ganz einfach daran, dass wir bei der Zubereitung andere Möglichkeiten ausprobiert haben, die uns inzwischen vorteilhafter erschienen. Kochen ist eine Kunst und lässt Wünsche offen. Man lernt ständig neue Tricks und Methoden hinzu, entdeckt immer neue Geschmacksnuancen und -kombinationen. Das Schöne am Kochen ist nicht zuletzt auch die Freude am Abenteuer und am Experiment. Nehmen Sie sich also die Freiheit und modifizieren Sie die Rezepte nach eigenem Gutdünken. Es ist Ihr Gericht, das Sie zubereiten, und es ist richtig zubereitet, wenn es Ihnen schmeckt.

LE MARAÎCHER

Der Gemüsebauer

Der Gemüsebauer

Prähistorische Grabstätten und schmuckvolle Grabbeigaben aus Muschelschalen und Knochen zeugen davon, dass im Tal der Vézère schon vor mindestens 70000 Jahren Menschen lebten. Lebensmittelreste aus urzeitlichen Abfallgruben verraten uns, dass diese Menschen im Fluss gefischt und in den Wäldern der Umgebung gejagt, dass sie Nüsse, Früchte und Beeren gegessen haben. Während der vielen Jahrtausende vor dem Aufkommen der Landwirtschaft vor rund zehntausend Jahren schien unseren Vorfahren jedoch nicht bewusst gewesen zu sein, wie fruchtbar dieses Tal und wie einfach es ist, den Boden für die Ernährung seiner Bewohner nutzbar zu machen.

In unserem Garten im Périgord gibt es drei Gemüsebeete, die insgesamt ungefähr achtunddreißig Quadratmeter ausmachen. So wenig das auch ist, so leben wir doch den ganzen Sommer und Herbst über von diesem kleinen Stück Land. Wir können uns selbst versorgen mit Tomaten, Kartoffeln, Zucchini, Gurken, Bohnen, Mais, Zwiebeln, Karotten, Knoblauch, Erbsen, Kohl, Auberginen und Kräutern – sind aber, was Gemüseanbau und -verwertung angeht, blutige Anfänger. Mal schwelgen wir im Überfluss, mal bleibt uns Hunger nicht erspart. Wenn wir nach einem auswärts verbrachten Wochenende zurückkehren, finden wir Zucchini vor, die so groß geworden sind wie Elefantenbeine. Manchmal können wir uns vor lauter Radieschen kaum mehr retten, und in der nächsten Woche sind sie verschwunden. Es kommt vor, dass wir nur kurz weg sind, um irgendwo Mittag zu essen, und in der Zwischenzeit haben uns die Vögel alle Kirschen vom Baum gepflückt. Wenn unsere Nachbarin Francette nicht wäre, die für uns aufpasst, würden die Schnecken uns einen Großteil unseres Gemüses wegfressen.

Darum bleiben diejenigen, die professionell Früchte aus eigenem Anbau auf dem Markt verkaufen, immer im Geschäft. Sie planen den Zeitpunkt der Ernte genauer, und da die meisten von ihnen mittlerweile biologisch anbauen, verzichten sie auf chemischen Dünger. Sommers wie winters sind sie jede Woche auf dem Markt und bieten an, was zur jeweiligen Jahreszeit geerntet werden kann. Erdbeeren sind von April bis August zu haben, Melonen dagegen nur von Juni bis September. Von einer Händlerin bekommt meine Frau immer zu hören: »Melonen sind wie Männer: Man muss schon ein paar davon begrabschen, ehe man einen guten findet.«

Die Frauen der Gemüsebauern (und es sind meist Frauen) arbeiten unermüdlich. Kommt der Herbst, wollen Weiß- und Blumenkohl geerntet sein, Rosenkohl, rote Bete, Grünkohl und Kartoffeln aller Arten und Sorten. Selbst im Winter mangelt es nicht an frischem Gemüse und Vitaminen. Und auch nicht an guten Ratschlägen.

Wenn Sie Rotkohl kaufen, wird die Händlerin fragen, wie Sie ihn zubereiten und was Sie dazu essen wollen. Rindfleisch? Sie wirft ein paar Esskastanien zum Rotkohl in die Tüte und erklärt, dass sich die von uns selbst gezogenen Kartoffeln allenfalls für Kartoffelsalat eignen, vielleicht auch für *pommes de terre à la sarladaise*. Zum Roastbeef sollten es aber andere sein. Sie empfiehlt uns eine Sorte und packt ein paar Kilo davon ein. Abgerechnet wird erst in der folgenden Woche, und das auch nur dann, wenn wir mit ihrer Empfehlung zufrieden waren. Der Markt ist nicht nur Markt, sondern auch Schule.

VICHYSSOISE ET CRÈME D'OSEILLE

Kalte französische Kartoffel-Lauch-Cremesuppe und Sauerampfer-Cremesuppe

FÜR 4 PERSONEN

Französische Kartoffel-Lauch-Cremesuppe
- 375 g Kartoffeln, mehlig kochend, geschält und gewürfelt
- 100 g Zwiebeln, geschält und fein gehackt
- 300 g Lauch, nur der zarte helle Teil, geputzt und in feine Ringe geschnitten
- 2 EL Entenschmalz oder Olivenöl
- 1 l Hühner- oder Gemüsefond
- 100 ml Sahne
- Salz zum Abschmecken
- 1 kleines Bund Schnittlauch, gehackt

Sauerampfer-Cremesuppe
- 250 g Sauerampfer, nur die von den Stengeln gezupften Blätter
- 75 g Butter
- 1 l Wasser, kochend
- Salz
- 2 Eigelbe
- 4 EL Sahne

Der Clou dieses Gerichts liegt nicht nur in den sich ergänzenden Aromen der weichen, samtigen Kartoffel und des schärferen, zitronigen Sauerampfers, sondern auch in der Art, wie es angerichtet wird. Beide Suppen werden kalt serviert und aus ihren jeweiligen Krügen gleichzeitig in den tiefen Teller gegossen, und zwar so, dass sie in einer geraden oder auch welligen Linie aufeinandertreffen, je nach Handhabung der Krüge.

Französische Kartoffel-Lauch-Cremesuppe
Kartoffelwürfel, Zwiebeln und Lauch in Entenschmalz 8–10 Min. lang bei geringer Hitze andünsten, häufig wenden und darauf achten, dass nichts anbrennt. Mit Fond aufgießen und köcheln lassen, bis die Kartoffeln gar sind. Passieren, mit Salz abschmecken, abkühlen lassen und mit Sahne verlängern. Unmittelbar vor dem Servieren mit etwas gehacktem Schnittlauch bestreuen.

Sauerampfer-Cremesuppe
Sauerampferblätter etwa 3 Min. vorsichtig in Butter dünsten. 1 l kochendes Salzwasser zugießen. Eigelbe und Sahne in einer Schale verquirlen. Vorsichtig eine Kelle der heißen Sauerampfer-Suppe zugeben und schnell verrühren. Sahne-Eigelb-Mischung langsam in die Suppe geben. Diese darf nicht mehr köcheln, da sonst das Eigelb gerinnt. (Für eine alternative Art, die Suppe zu binden, siehe *Brunos Küchennotizen,* S. 293.) Bei sehr geringer Hitze rühren, bis die Suppe nach etwa 1–2 Min. angedickt ist. Vom Herd nehmen und mit dem Stabmixer pürieren. Mit Salz abschmecken. In einen Krug füllen und auf Serviertemperatur abkühlen lassen.

POTAGE FROID DE LÉGUMES D'ÉTÉ BRUNO

Kalte Gemüsesuppe nach Bruno-Art

FÜR 4 PERSONEN

- 2 mittelgroße, grüne Paprikaschoten, entkernt und in kleine Würfel geschnitten
- 50 ml Weißweinessig (Bruno bevorzugt Estragon-Essig)
- 50 ml Bergerac Sec oder ein anderer trockener Weißwein
- 1 mittelgroße Salatgurke, geschält, entkernt und gewürfelt
- 75 ml Olivenöl
- 2 Knoblauchzehen, fein gehackt
- 1 mittelgroße Zwiebel, fein gewürfelt
- Salz
- Pfeffer aus der Mühle

Rund um Saint-Denis findet man überall Wegweiser nach Spanien, was daran erinnert, dass die spanische Grenze nur wenige hundert Kilometer entfernt ist. Bruno hat ein Faible für die spanische Gazpachosuppe; was ihm daran allerdings weniger gefällt, sind die Farbe und die Konsistenz, die auf die traditionelle Verwendung von Brotkrumen zurückzuführen ist. Er mag sein Brot lieber trocken und seine Suppe dünnflüssig. Außerdem soll sie im Fall des Gazpacho grün sein und nicht schlammfarben wie das spanische Original. Also hat er das Gericht neu erfunden, und zwar mit Zutaten aus seinem Garten.

Paprikawürfel nach und nach zusammen mit dem Weißwein in der Küchenmaschine pürieren. Gurkenwürfel und die anderen Zutaten zugeben und weiter pürieren. Mit Salz und Pfeffer abschmecken. Flüssige Mischung in einen Behälter gießen, der in den Kühlschrank passt.

Gekühlt servieren.

Brunos Variante
Bruno verwendet Estragon-Essig, der der Suppe eine zusätzliche Geschmacksnote verleiht. Als Reverenz an ihre spanische Verwandte können für Brunos Gazpacho zwei mittelgroße Tomaten, gehäutet und entkernt, zugegeben werden. Zum Tomatenhäuten siehe ›Brunos Küchennotizen‹, S. 300. Alternativ lässt sich eine rote, kleingewürfelte Paprikaschote zugeben und statt Weißwein ein Rosé verwenden.

TOURAIN BLANCHI À L'AIL

Knoblauchsuppe nach Art des Périgord

FÜR 4 PERSONEN

- 1 kleine Zwiebel oder große Schalotte, gewürfelt
- 6 Knoblauchzehen, gehackt
- 50 g Gänse- oder Entenschmalz oder 40 ml Olivenöl
- 100 g Mehl
- 2 l Wasser oder 1,5 l Wasser und 0,5 l Hühnerfond
- Salz
- Pfeffer aus der Mühle
- 1 Ei
- 1 TL Weinessig oder *verjus* (zum Rezept siehe *Brunos Küchennotizen* S. 300)
- Fadennudeln (optional)
- Brotwürfel, in etwas Entenfett geröstet (optional)
- Petersilie, fein gehackt (optional)

Das Périgord ist bekannt für seine Suppen, nicht zuletzt für den *chabrol*, der eine besondere Art und Weise der Verköstigung bezeichnet. Sind 2–3 Löffel Suppe im Teller übriggeblieben, gießt man ein Drittel eines Glases Rotwein hinzu, rührt um und hebt den Teller an den Mund, um das Gemisch zu trinken, das an einem Winterabend besonders angenehm wärmt. Durch den *chabrol* werden Kinder im Périgord mit Wein bekannt gemacht. Im okzitanischen Dialekt der Region, der von manchen älteren Menschen noch immer gesprochen wird, heißt es: *Qu'ei lou chabrol que ravicolo, Qu'ei lou pu grand tous medicis. Chabrol* bringt dich wieder zu Kräften, besser als jede Medizin.

Die Herkunft des Begriffs bleibt fraglich. Manche behaupten, er leite sich von *chaud brouet* (heiße Brühe) ab. Andere glauben, dass er auf die englischen Soldaten im Hundertjährigen Krieg zurückgeht, die im Winter auf gepökelten Fisch, vor allem Heringe, angewiesen waren. Junge Heringe wurden *shad* genannt, und die Garnisonstruppen in ihren Burgen bezeichneten eine Suppe als *shad broth*, woraus sich *chabrol* abgeleitet haben könnte. Wer eine solche Übertragung aus dem Englischen ins Französische für unwahrscheinlich hält, sollte einmal die Ortschaft Le Coux et Bigaroque an der Dordogne gegenüber von Le Buisson besuchen. Ein einziger Blick auf die hohen Klippen führt dem Betrachter vor Augen, dass der Name Bigaroque aus dem englischen *big rock* hervorgegangen sein muss.

Die *tourain* (oder *tourin*) ist *die* klassische Suppe des Périgord, ein einfaches Gericht, hervorgegangen aus ärmlichen Verhältnissen und dem Wunsch, aus wenigen Zutaten, die in jedem Bauerngarten zu finden sind, das Beste zu machen. Um sicherzugehen, dass alle satt werden, versprechen Mütter denjenigen ihrer Kinder, die von der Suppe am meisten essen, den größten Anteil an dem bescheidenen Braten, der anschließend aufgetischt wird. Die *tourain*, eine Knoblauchsuppe, angedickt mit trockenem Brot oder Fadennudeln, schmeckt richtig zubereitet schlicht köstlich. Im Périgord wird den Frischvermählten gegen Ende der Hochzeitsnacht zur Stärkung von ihren Freunden ein Nachttopf voll *tourain* serviert.

Ein weiteres Geheimnis der Suppen des Périgord liegt in der Zugabe von *hachis* oder *fricassée*, die sie besonders gehaltvoll und schmackhaft machen (zur Zubereitung von *fricassée* und *hachis* siehe *Brunos Küchennotizen*, S. 296).

Fricassée (in der Regel 1 EL pro Person) wird der Knoblauchsuppe rund 30 Min. vor Ende der Garzeit untergerührt.

Zwiebel und Knoblauch vorsichtig in einem großen Topf im Schmalz anschwitzen, mit Mehl bestäuben und unter ständigem Rühren goldbraun anrösten, aber nicht anbrennen lassen. Wasser (bzw. Wasser und Hühnerfond) angießen und 10 Min. köcheln lassen. Mit Salz und Pfeffer abschmecken. Eiweiß vom Eigelb trennen. Eiweiß leicht aufschlagen, langsam in die Suppe geben und mit einer Gabel kräftig verrühren. Wer möchte, kann Fadennudeln oder andere Pasta zugeben und in der Suppe al dente kochen. In einer kleinen Schale *verjus* (Rezept siehe *Brunos Küchennotizen*, S. 300) oder Essig mit dem Eigelb verrühren, vorsichtig 1 EL Hühnerfond zugeben, dann langsam unter ständigem Rühren in die Suppe gießen, um sie zu binden. Zum Anrichten in Suppenschale füllen und nach Belieben Brotwürfel sowie Petersilie darüber streuen.

Brunos Tipp: Diese Suppe benötigt keinen *hachis*, weil sie schon Knoblauch und Mehl enthält. Wenn aber noch *lardons* oder Schinkenstücke von einem anderen Essen übriggeblieben sind, können diese klein gehackt der Suppe hinzugefügt werden. Eine meiner Nachbarinnen schwört auf *couenne*, in dünne Streifen geschnittene Schweineschwarte, die vor der Zugabe von Knoblauch in einer Kasserolle ausgelassen wird.

SOBRONADE

Herzhafte Bohnensuppe

FÜR 4 PERSONEN
FÜR EINE GROSSE KASSEROLLE

- 200 g weiße Trockenbohnen, über Nacht in kaltem Wasser quellen lassen
- 250 g Schinkenspeck, fein gewürfelt
- 250 g Wurstbrät vom Schwein oder Kalb
- 1 Zwiebel, mit einem Dutzend Nelken gespickt
- 1 Steckrübe oder ½ Steckrübe und 3 mittelgroße Karotten, beide in regelmäßige dünne Ringe geschnitten
- 4 Knoblauchzehen, fein gehackt
- 20 g Entenschmalz oder 20 ml Olivenöl
- 40 g Mehl
- Salz
- Pfeffer aus der Mühle
- 500 g frisches Weißbrot (trockenes Brot mindestens 2 Std. oder über Nacht in Wasser oder in Milch einweichen lassen)
- 250 g Kartoffeln, geschält und in dicke Scheiben geschnitten
- *fricassée* (zum Rezept siehe *Brunos Küchennotizen*, S. 296, hier bevorzuge ich eine *fricassée* mit Zwiebeln, Kürbis oder Lauch)

Typisch für das Périgord ist auch die *sobronade*, eine dickflüssige, herzhafte Suppe aus weißen Bohnen, Kartoffeln und Schinkenspeck. Wenn Bruno von Schinken spricht, meint er den großen Schlegel, der 3 Monate in Salz gelegen hat und nun in der Küche von einem Deckensparren herabhängt. Man kann aber natürlich auch auf *lardons fumés* (Räucherspeckwürfelchen) oder ein paar Scheiben Salami zurückgreifen, wenn man keinen Schinken vorrätig hat. Es wäre übrigens durchaus kein Fauxpas, diese Suppe als die périgourdinische Version eines *cassoulet* zu bezeichnen.

Bohnen und Schinkenspeck in eine große Kasserolle geben und mit kaltem Wasser bedecken. Gespickte Zwiebel zugeben. Zum Kochen bringen und eventuellen Schaum von der Oberfläche abschöpfen. Bei geringer Temperatur weiterköcheln lassen. Steckrübe und / oder die Karotten mit dem Wurstbrät und dem gehackten Knoblauch in Entenschmalz anschwitzen. Mit Mehl bestäuben, goldbraun anrösten und in die Kasserolle geben. Mit Salz und Pfeffer abschmecken. Kasserolle mit einem Deckel verschließen. Nach 30 Min. eingeweichtes Brot und Kartoffeln hinzufügen. Weitere 90 Min. sehr leise köcheln lassen und sofort servieren.

Variante der Sobronade:
Diese Variante sollte nur lesen, wer starke Nerven hat: Die reizenden, verschmitzten Kinder von Freunden aus Savignac-de-Miremont bezeichnen folgende Sobronade-Variante als »Marie Antoinettes Hals«. Es bedarf wohl der morbiden Phantasie von Schulkindern, angesichts der in Tomatenflüssigkeit schwimmenden weißen Bohnen an den Querschnitt des Halses Ihrer guillotinierten Hoheit zu denken. Für diese spezielle Variante der oben angeführten Kochanleitung werden statt des Wurstbräts 500 g gehäutete und in kleine Würfel geschnittene Tomaten verwendet, die man gleichzeitig mit den Kartoffeln in die Kasserolle gibt. Zum Tomatenhäuten siehe ›Brunos Küchennotizen‹, S. 300.

CARPACCIO DE CONCOMBRES AIGRE-DOUX

Süß-saures Gurken-Carpaccio

FÜR 4 PERSONEN

- 2 große Salatgurken
- ½ TL getrocknete rote Chiliflocken (optional)
- 4 EL Zucker
- 140 ml Wasser
- 5 EL Weißwein- oder Malzessig
- ½ TL Salz

Wer selbst Gurken heranzieht, steht zur Erntezeit vor einem Überangebot. Um es gut zu nutzen, empfiehlt sich dieses Rezept, zumal sich das Carpaccio, in einem geschlossenen Gefäß kühl gelagert, bis zu zwei Wochen hält.

Die Gurken schälen und der Länge nach halbieren. Mit einem Löffel die Kerne herausschaben. In möglichst dünne Querscheiben aufschneiden und diese in eine Schale geben. Chiliflocken hinzufügen und umrühren. In einer kleinen Pfanne bei niedriger Hitze den Zucker in Wasser auflösen. Von der Flamme nehmen und Essig und Salz einrühren. Die Flüssigkeit über die Gurkenscheiben gießen und umrühren. In Gläser umfüllen, diese verschließen und kalt stellen.

Frühestens nach 30 Min. servieren.

ASPERGES FRAÎCHES MIMOSA

Spargel Mimosa

FÜR 4 PERSONEN
FÜR EINEN HOHEN TOPF

- 800 g grüner Spargel, geschält, harte Enden entfernt
- Meersalz
- Vinaigrette (Rezept siehe *Brunos Küchennotizen*, S. 301) mit Senf
- 3 Eier, hart gekocht, gepellt, davon nur die Eigelbe

Wenn im Frühjahr der erste Spargel aus dem Boden bricht, erblüht auch der Mimosenbaum. So erklärt sich der Name dieses Gerichts. Dabei lassen sich gut die Eigelbe verwerten, die übrigbleiben, wenn bei der Zubereitung von Gerichten nur die Eiweiße Verwendung finden.

Die Spargelstangen mit einem Faden zu einem Bündel zusammenbinden und in Salzwasser in einem hohen Topf bei geschlossenem Deckel ca. 20 Min. kochen. Die Stangen sollten nur zu ¾ im Wasser stehen, damit die Spitzen nicht aufweichen. Abtropfen lassen und mit Meersalz abschmecken.

Spargel mit einer Senfvinaigrette überziehen und Eigelbe mit einem feinen Käsehobel darüber reiben.

Brunos Tipp: Dieses Dressing aus Senfvinaigrette und feingehobeltem Eigelb passt auch zu gekochtem und abgekühltem Lauch. Über das zerriebene Eigelb das oben nicht verwendete Eiweiß in parallel ausgerichtete Fäden hobeln.

OIGNONS NOUVEAUX GRILLÉS

Gegrillte Frühlingszwiebeln

FÜR 4 PERSONEN

- 20 große Frühlingszwiebeln, Wurzelenden und dunkelgrüne Blätter abgetrennt
- 1 l kochendes Salzwasser
- 1 l Eiswasser
- 5–6 EL Olivenöl
- 5–6 EL Rotweinessig
- 1 EL frische Thymianblätter, gehackt
- 2 Knoblauchzehen, in dünne Scheiben geschnitten

Ofen auf 200° C (Umluft 180° C, Gas Stufe 3) vorheizen. Frühlingszwiebeln in kochendem Wasser 2 Min. blanchieren (dazu siehe *Brunos Küchennotizen*, S. 293), abtropfen lassen und in Eiswasser tauchen, um den Kochvorgang abzubrechen. Öl, Essig, Thymian und Knoblauch in einem tiefen Teller verrühren, die Frühlingszwiebeln darin wälzen. Frühlingszwiebeln in einer Backform in einer Lage verteilen. 5–7 Min. im Backofen rösten. Dabei darauf achten, dass sie nicht anbrennen.

Brunos Tipp: Als Beilage zu gedämpftem Fisch, einem Hühnergericht oder Fleischeintopf servieren. Alternativ lässt sich auch eine Grillpfanne verwenden. Auch hier ist darauf zu achten, dass die Frühlingszwiebeln nicht anbrennen. Auf Essig, Thymian und Knoblauch wird hierbei verzichtet.

MÉLI-MÉLO DE TOMATES FAÇON D'AUTREFOIS

Tomatensalat nach Großmutterart

FÜR 4 PERSONEN

- 1 kg Tomaten unterschiedlicher Größe und Farbe, in Scheiben geschnitten
- Essig
- Olivenöl
- Salz

Tomatenscheiben auf einen Servierteller legen. Vorsichtig mit Essig und Olivenöl beträufeln und ein wenig salzen.

Brunos Tipp: Sind die Tomaten sehr groß oder schon etwas weich, legt er sie für ½ Std. ins Gefrierfach, um sie anschließend dünner aufschneiden zu können.

FRICASSÉE DE FÈVES

Bohnenfrikassee

FÜR 4 PERSONEN

- 800 g Sau- oder Favé-Bohnen
- 30 g Butter
- Salz
- Pfeffer aus der Mühle
- 40 g *fricassée* (zum Rezept siehe *Brunos Küchennotizen*, S. 296)

Passt gut zu allen Hühnchen- oder Fleischgerichten.

Bohnenkerne aus den Schoten lösen, in kochendem Wasser kurz aufwallen lassen und anschließend kalt abschrecken. Danach die Kerne von ihrer festen Haut befreien.

In einer Pfanne Butter schmelzen und die Bohnenkerne darin erwärmen. Mit Salz und Pfeffer abschmecken. Mit untergerührtem *fricassée* sind die *fèves* besonders lecker.

Alles in eine vorgewärmte Servierschale geben.

CHOU FARCI

Gefüllter Kohlkopf

FÜR 4 PERSONEN
FÜR EINEN BRÄTER

- 1 mittelgroßer Weißkohlkopf (oder Wirsing), von zähen oder welken Außenblättern befreit
- 300 g Schweinemett oder Kalbsbrät
- 150 g altbackenes Weißbrot
- 2 Knoblauchzehen, fein gehackt
- 1 Bund glatte Petersilie, nur die Blätter, grob gehackt
- 2 ganze Eier, geschlagen
- Bindfaden (zum Schnüren)
- 2 EL Enten- oder Schweineschmalz oder Olivenöl
- 1 Zwiebel, fein gehackt
- 5 Karotten, gewürfelt
- 300–400 ml Wasser oder Hühnerfond

Kohlkopf 5 Min. in kochendem Salzwasser blanchieren (zum Blanchieren siehe *Brunos Küchennotizen*, S. 293), dann in ein mit kaltem Wasser gefülltes Gefäß geben. Schweinemett, Brot, ⅓ des gehackten Knoblauchs, Petersilie und Eier in einer Rührschüssel vermengen. Die Masse zwischen die äußeren Blätter des Kohlkopfs füllen. Kohlkopf mit einem Faden, den man zum Bratenbinden nimmt, fest verschnüren.

In einem Bräter Schmalz erhitzen. Zwiebel, Karotten und restlichen Knoblauch zugeben. Kohlkopf in den Bräter setzen. Wasser bzw. Fond angießen, Deckel aufsetzen und bei geringer Hitze 1½ Std. sanft köcheln lassen. Wenn die Flüssigkeit vor Ablauf der Garzeit aufgesogen ist, noch etwas Wasser bzw. Hühnerfond zugießen.

POMMES DE TERRE À LA SARLADAISE

Kartoffeln nach Art von Sarlat

FÜR 4 PERSONEN

- 1,2 kg Kartoffeln, festkochend, geschält und in dünne Scheiben geschnitten
- 100 g Gänse- oder Entenschmalz oder Butter
- 5–6 Knoblauchzehen, fein gehackt
- 1 großes Bund glatte Petersilie, nur die Blätter, fein gehackt
- Salz

Serviert mit fein gehackter Petersilie mit Knoblauch (einer sogenannten *persillade)* zählt dieses einfache Gericht zu den Stars der périgourdinischen Küche. In der mittelalterlichen Stadt Sarlat, nach der es benannt ist, gilt als sein angestammter Begleiter ein Enten-Confit (Rezept S. 119).

Kartoffelscheiben mehrmals in einer Schale mit frischem Wasser waschen, bis das Wasser schließlich klar und frei von Stärke ist. In einem sauberen Geschirrtuch trocknen. Schmalz in einer Kasserolle auslassen, aber nicht zu heiß werden lassen. Kartoffelscheiben portionenweise zugeben und vorsichtig wenden, damit sie ganz vom Fett überzogen werden. Bei geringer Hitze garen, von Zeit zu Zeit wenden. Knoblauch und Petersilie in einem Schälchen zu einer *persillade* (siehe dazu auch *Brunos Küchennotizen*, S. 298) vermengen. Wenn die Kartoffelscheiben nach 30–45 Min. eine goldbraune Farbe annehmen, die *persillade* aus Knoblauch und Petersilie einrühren. Mit Salz abschmecken. Auf einem vorgewärmten Teller servieren.

Brunos Tipp: Besonders pikant wird dieses klassische Gericht in getrüffelter Variante. Sind die Kartoffeln gar, gehobelte Trüffeln (mindestens 50 g pro Kilo Kartoffeln) hinzugeben und für 3 Min. in den heißen Ofen schieben. Die Hitze bringt das Trüffelaroma zur Entfaltung. Weniger teuer wäre es, eine kleine Trüffel über die gerösteten Kartoffeln zu reiben und mit ihnen zu vermengen. Es geht auch noch kostengünstiger: Trüffelbruch in eine Flasche Walnuss- oder einfaches Pflanzenöl geben und über 3 Tage an einem dunklen Ort lagern, damit das Öl das Aroma annehmen kann. Mit diesem Öl die *pommes de terre à la sarladaise* beträufeln. Schon ein Hauch des Trüffelaromas steigert den Genuss ungemein.

MILLASSOU AU POTIRON

Süßer Kürbisauflauf

FÜR 4 PERSONEN
FÜR EINEN GROSSEN TOPF UND EINE AUFLAUFFORM AUS GLAS ODER PORZELLAN

- 1 kg Hokkaidokürbis, geschält, in 5 cm große Stücke geschnitten
- Salz
- 150 g Butter
- 250 g Zucker
- 250 g Maismehl
- 4 Eier, geschlagen
- 500 ml Milch
- 50 ml Rum

Backofen auf 200° C (Umluft 180° C, Gas Stufe 3) vorheizen. Kürbisstücke in einem großen Topf mit leicht gesalzenem Kochwasser bedecken und darin 15 Min. garen; dabei immer wieder nach Bedarf Kochwasser zugießen. Wasser abgiessen, mit einem Stabmixer pürieren. In einem großen Topf Butter schmelzen. Zuerst Zucker und Maismehl, dann Eier, Milch und Rum hinzufügen. Den pürierten Kürbis einrühren und behutsam aufkochen, bis die Masse leicht eindickt. Auflaufform mit Butter einfetten und die Kürbismischung einfüllen. 25–30 Min. im Ofen backen.

Kürbisauflauf warm servieren.

Brunos Tipp: Im Périgord reicht man oft etwas *crème fraîche* dazu.

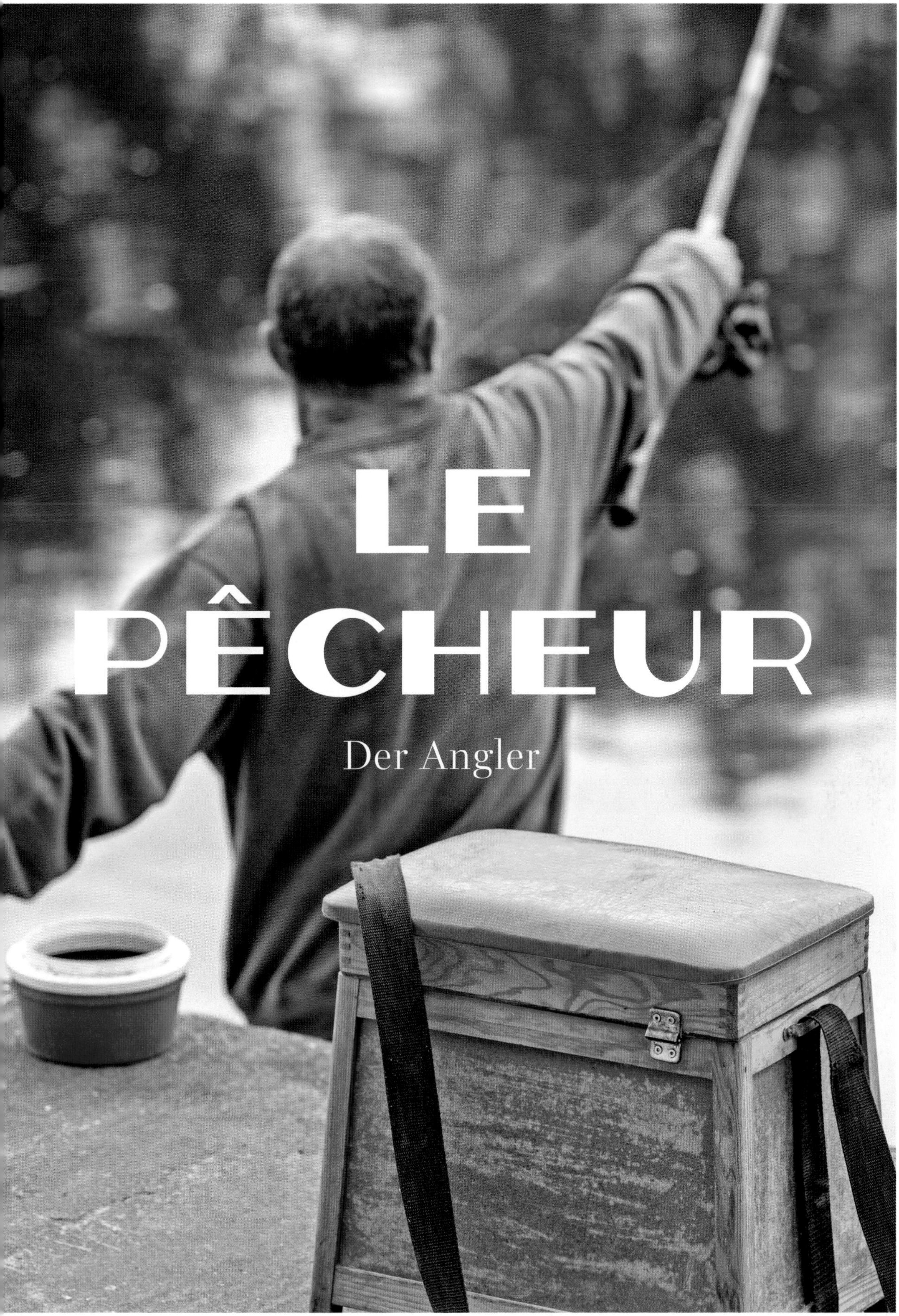

LE PÊCHEUR

Der Angler

Der Angler

Die Vézère ist eines der fischreichsten Gewässer Frankreichs, bekannt für ihre Forellen und beliebt bei Anglern, insbesondere bei denen, die das Fliegenfischen beherrschen. Der Fluss lockt so viele von ihnen an seine Ufer, dass der Supermarkt von Montignac – unweit der berühmten Höhle von Lascaux mit ihren prähistorischen Wandmalereien – sogar Köder für die Angler im Angebot hat. Neben Forellen tummeln sich in der Vézère auch Äschen, Barben, Karpfen und Barsche, und ab und zu veranstaltet die eine oder andere der am Ufer gelegenen Ortschaften ein Festessen, zu dem *goujons* – Gründlinge – serviert werden, die man, frittiert und mit einem Tropfen Essig oder Zitronensaft beträufelt, mitsamt Haut und Gräten isst.

Die Silhouette eines Anglers frühmorgens oder abends am Ufer ist im Périgord ein durchaus vertrauter Anblick. An den meisten Wochenenden organisiert die eine oder andere Stadt einen *concours de pêche*, ein Wettangeln, und Sieger ist, wer die meisten und größten Fische gefangen hat. Die ausgelobten Preise sind eher bescheiden: in der Regel ein geräucherter Schinken, eine Flasche Weinbrand oder drei Flaschen Wein. Sobald man die gefangenen Fische vermessen hat, werden sie wieder ins Wasser gesetzt.

Der traditionelle Name der Region lautet Aquitanien, den sich auch Herzogin Eleonore gab. Ihre 1152 geschlossene zweite Ehe mit Heinrich Plantagenet, Herzog von Anjou und der Normandie, führte zu den drei Jahrhunderte währenden Kriegen zwischen Frankreich und England, als ihr Gatte zwei Jahre nach der Hochzeit König Henry II. von England wurde. Der Name Aquitanien stammt aus der Zeit Julius Cäsars und bedeutete ursprünglich »Wasserlande«, denn die Region wird von den Flüssen Lot, Garonne und Dordogne geprägt, so wie das Périgord von seinen drei Flüssen Dordogne, Isle und Vézère. Vor dem Bau der Eisenbahn im 19. Jahrhundert wurde auf den Flüssen fast der gesamte Güterverkehr abgewickelt, und ihr Fischreichtum lieferte einen wichtigen Bestandteil der Ernährung der örtlichen Bevölkerung.

Seither ist der Fischbestand zurückgegangen. Darum gibt es strenge Auflagen für Angler. Fische, die weniger als 25 cm lang sind, müssen ins Wasser zurückgesetzt werden (ausgenommen *goujons*). Es dürfen von einer Person auch höchstens sechs Fische am Tag gefangen werden. Ohnehin ist das für die meisten Angler mehr als genug, weshalb sie häufig auch noch Freunde zu einem spontanen Essen einladen. Es gibt kaum etwas Köstlicheres als eine frischgefangene Forelle, mit Thymianzweigen gefüllt, über glühender Holzkohle geröstet und mit ein paar Tropfen Zitronensaft beträufelt, dazu frisches Brot und ein Glas Weißwein, der im Fluss gekühlt worden ist.

Das Périgord ist weniger als zwei Autostunden von der Atlantikküste entfernt, an der, vor allem bei Arcachon, Muscheln und Austern geerntet werden und Fischerboote aus dem Golf von Biskaya anlanden, deren Fang innerhalb weniger Stunden auch auf unsere Märkte gelangt: Meeräschen, Thunfisch, Wolfsbarsche, Rochen und nicht zuletzt auch frische *langoustines*, Kaiserhummer.

CARPACCIO DE SAUMON FRAIS

Lachs-Carpaccio

FÜR 4 PERSONEN

- Lachs, Filetstück, ganz frisch
- Olivenöl
- Pfeffer aus der Mühle

Ein Lachs-Carpaccio ist die Fischvariante des klassischen Gerichts aus rohem Rindfleisch und kein *escabèche*, für den gekochter Fisch und eine Marinade aus Zitronensaft verwendet wird.

Wie für die Zubereitung von Sushi kommt nur sehr frischer Lachs in Frage, und zwar kein Steak, sondern ein Filetstück. Mit einer Pinzette eventuelle Grätenreste entfernen. Mit einem sehr scharfen Messer leicht schräg mit der Faser hauchdünne Scheiben davon abschneiden und auf einem Teller anrichten. Die einzelnen Scheiben werden wahrscheinlich nicht mehr als 3 × 5 cm messen und müssen nicht unbedingt einheitlich aussehen.

Vor dem Servieren ein wenig Olivenöl über den Fisch träufeln und mit Pfeffer würzen.

Als Beilage empfiehlt sich ein *Méli-mélo de tomates façon d'autrefois* (*Tomatensalat nach Großmutterart*, Rezept S. 71).

Filet eglefin-

NOIX DE SAINT-JACQUES EN PERSILLADE

Jakobsmuscheln mit Petersilie und Knoblauch

FÜR 4 PERSONEN

- 3 Knoblauchzehen, ganz fein gehackt
- 1 großes Bund glatte Petersilie, nur die Blätter, fein gehackt
- Öl (Raps-, Erdnuss- oder leichtes Olivenöl)
- 4–5 Jakobsmuscheln inklusive Rogen *(corail)* pro Person
- 20 g Butter
- Salz

Knoblauch und Petersilie zu einer *persillade* (zur *persillade* siehe *Brunos Küchennotizen*, S. 298) vermengen. Das weiße Muskelfleisch der Jakobsmuscheln zusammen mit dem *corail* vorsichtig von der Schale lösen. Ein wenig Öl auf einen Teller gießen und jede Jakobsmuschel von beiden Seiten mit Öl benetzen. Beiseitestellen. Eine trockene Bratpfanne (am besten beschichtet) so stark erhitzen, dass ein hineingespritzter Wassertropfen sofort zu zischen anfängt. Muscheln in die Pfanne geben, nicht mehr als 6 Stück gleichzeitig, da die Hitze nicht abfallen soll. Muscheln von beiden Seiten je 1 Min. anbraten. Auf einem warmen Teller warmhalten, bis alle Muscheln gebraten sind. Butter in der Pfanne zerlaufen lassen und über das Muschelfleisch gießen. Mit Salz abschmecken.

Mit der *persillade* bestreuen und sofort servieren.

Brunos Tipp: Meistens wird das Muskelfleisch mit dem *corail* ohne Schale verkauft.

LANGUSTINES À LA NAGE

Kaiserhummer nach Art von Bordeaux

FÜR 4 PERSONEN

- 230 g Butter
- 2 Karotten, fein gewürfelt
- 10 Schalotten, fein gewürfelt
- 1 Knoblauchzehe, fein gehackt
- 20 Kaiserhummer
- 1 Glas Cognac
- 250 ml Bergerac Sec oder ein anderer trockener Weißwein
- 1 Kräutersträußchen *(bouquet garni)* aus 1 Lorbeerblatt, 1 Zweig Thymian, 3 Zweigen Estragon
- Salz
- Pfeffer aus der Mühle
- 20 g Mehl
- 2 EL glatte Petersilie, fein gehackt

Dieses Gericht bietet einen hübschen optischen Kontrast zwischen dem hellroten Eintopf aus Kaiserhummer und der dazu gereichten grünen Sauce.

In einer Pfanne 100 g Butter zergehen lassen. Darin Karotten, Schalotten und Knoblauch bei niedriger Temperatur 10 Min. dünsten. Kaiserhummer zugeben und sautieren, bis sie hellrot sind. Mit dem Cognac übergießen und flambieren. Kaiserhummer aus der Pfanne nehmen, beiseitestellen. Wein und das Kräutersträußchen in die Pfanne geben. Salzen und pfeffern. Temperatur erhöhen und die Flüssigkeit 5 Min. lang reduzieren.

Kaiserhummer zurück in die Pfanne legen und weitere 12 Min. garen. Wieder herausnehmen und auf einem warmen Servierteller beiseitestellen. In einer separaten Pfanne die restliche Butter schmelzen und mit dem Mehl zu einer Mehlschwitze *(roux)* verrühren. Vorsichtig die reduzierte Flüssigkeit dazugießen und köcheln lassen, bis die Sauce bindet. Zum Schluss die Petersilie zugeben.

Sauce über die Kaiserhummer gießen und servieren.

Brunos Tipp: Wenn er gerade frische gefangen hat, verwendet Bruno für dieses Gericht statt Kaiserhummer auch Flusskrebse.

TRUITE EN PAPILLOTE

Forelle im Päckchen

PRO PERSON

- 1 Bogen Pergamentpapier
- 20 g Butter
- 1 Forelle à ca. 300 g, geputzt und ausgenommen
- 1 gewaschene unbehandelte Zitrone, in dünne Scheiben geschnitten
- 20 g Gemüse-Julienne (siehe dazu *Brunos Küchennotizen*, S. 296) – zum Beispiel aus Karotten, Zucchini, Lauch, Knollensellerie
- 20 ml Bergerac Sec oder ein anderer trockener Weißwein
- Salz
- Pfeffer aus der Mühle

Ofen auf 200° C (Umluft 180° C, Gas Stufe 3) vorheizen. Pergamentpapier mit Butter einfetten, Forelle darauflegen. Forelle mit 2–3 Zitronenscheiben und der Gemüse-Julienne füllen. Mit Wein beträufeln. Salzen und pfeffern. Fisch ins Pergamentpapier einwickeln, so dass er ganz darin eingepackt ist. Päckchen auf ein Backblech legen und 12 Min. garen.

Auf einem vorgewärmten Teller servieren.

Brunos Tipp: Das Päckchen mag jeder selbst auspacken.

PARMENTIER DU PÊCHEUR FAÇON PAMELA

Pamelas Fischpastete

FÜR 6–8 PERSONEN
FÜR EINE GROSSE KASSEROLLE
UND EINE AUFLAUFFORM

Für den Fischtopf

- 125 g geräucherte Heringsfilets, in 5 cm große Stücke geschnitten
- 500 g Fischfilets, Schellfisch oder Kabeljau, ebenfalls in 5 cm große Stücke geschnitten (Bruno zieht frischen Fisch vor, Pamela verwendet zur Abwechslung aber manchmal auch geräucherten Schellfisch)
- ½ l Vollmilch
- ½ EL Salz
- 1 Lorbeerblatt
- 10 g Kapern
- 50–75 g Garnelen, gekocht und geschält
- 1 Handvoll glatte Petersilie, grob gehackt
- Saft einer Zitrone
- 2 Eier, hart gekocht, gepellt und in Scheiben geschnitten

Für die Mehlschwitze *(roux)*

- 75 g Butter
- 50 g Mehl
- Salz
- Pfeffer aus der Mühle

Für das Kartoffelpüree

- 500 g Kartoffeln, geschält und geviertelt
- 125 g *aillou* (Knoblauch-Dip, siehe *aillou*-Rezept S. 160)
- 50 g Butter
- ½ TL frisch geriebene Muskatnuss oder ½ TL Muskatblüte
- Muskat oder Muskatblüte zum Abschmecken

Parmentier du pêcheur – so nennt Bruno das schottische Traditionsgericht *Shepherd's Pie*, das er zum ersten Mal bei Pamela gegessen hat. Seit es nun auch in Saint-Denis zum festen Bestandteil vieler Menüs gehört, nennt sie dieses Gericht einfach Fischpastete. Im Winter serviert Bruno sie mit Erbsen *(petits pois)*, im Sommer mit einem frischen grünen Salat.

Ofen auf 200° C (Umluft 180° C, Gas Stufe 3) vorheizen. Die geräucherten Heringfilets und den weißen Fisch in eine große Kasserolle geben und mit Milch bedecken. Salz und Lorbeerblatt zugeben und alles für 20 Min. auf dem Herd ziehen lassen. Fisch aus dem Topf nehmen und vorsichtig in eine vorgewärmte Auflaufform legen. Darauf Kapern, gekochte Garnelen und Petersilie verteilen. Mit Zitronensaft beträufeln und mit den Eischeiben garnieren. Lorbeerblatt aus der heißen Milch nehmen, diese in einen Krug gießen und beiseitestellen.

Mehlschwitze

In einem mittelgroßen Topf die Butter zerlassen und nach und nach etwas Mehl zu einer Mehlschwitze *(roux)* einrühren. Wenn sie allzu dickflüssig wird, mit Milch verlängern. Salzen und pfeffern. 5 Min. köcheln lassen. Mehlschwitze über den Fisch und seine Zutaten gießen.

Kartoffelpüree

Kartoffeln ca. 20 Min. in Salzwasser garen, abtropfen lassen, zu einem Brei stampfen. *Aillou*, Butter und etwas Milch unterrühren und das Kartoffelpüree über den Fisch streichen. Mit Muskat oder Muskatblüte abschmecken. Noch einmal für 30 Min. in den Ofen schieben und überbräunen lassen. Ev. noch einmal mit etwas Muskat oder Muskatblüte abschmecken.

MOULES À LA PÉRIGOURDINE AU BERGERAC SEC

Miesmuscheln Bergerac

FÜR 4 PERSONEN
FÜR EINE TIEFE KASSEROLLE

- Olivenöl
- 4 Schalotten, fein gewürfelt
- 1 Kräutersträußchen *(bouquet garni)* aus 1 Lorbeerblatt, 2 Zweigen glatter Petersilie und 1 Zweig frischem Thymian
- 300 ml Bergerac Sec oder ein anderer trockener Weißwein
- Salz
- Pfeffer aus der Mühle
- 5 l (entspricht ca. 3,2 kg) frische Miesmuscheln, gewaschen und gebürstet (nur die geschlossenen Muscheln verwenden!)
- 1 Handvoll glatte Petersilie, nur Blätter, fein gehackt

Miesmuscheln *(moules)* gibt es im Périgord wegen der Nähe zu den Muschelzuchten im Bassin d'Arcachon südlich von Bordeaux das ganze Jahr über, im deutschen Sprachraum nur in den Monaten mit einem R, also von September bis April. Für dieses Gericht werden im Périgord die *moules* nicht in Butter, sondern in Olivenöl zubereitet, und der Saft aus den Muscheln wird nicht angedickt.

In einer tiefen Kasserolle Olivenöl bei mittlerer Temperatur erhitzen und die Schalotten darin glasig dünsten. Kräuter und Wein zugeben. Salzen und pfeffern. Hitze erhöhen. Wenn die Flüssigkeit zu kochen beginnt, die geschlossenen Muscheln hinein geben. Topf verschließen und immer wieder schütteln, bis sich die Muscheln geöffnet haben. Die Muscheln mit einer Schaumkelle herausnehmen und in ein vorgewärmtes Gefäß füllen. Die im Topf zurückgebliebene Flüssigkeit auf die Hälfte reduzieren lassen und über die Muscheln gießen.

Mit der gehackten Petersilie bestreuen und sofort servieren. Nur die geöffneten Muscheln essen.

Brunos Tipp: Für eine dickere Sauce empfiehlt sich eine *beurre manié* aus 25 g Butter, vermengt mit 10 g Mehl, der in einer kleinen Schale löffelweise eine Suppenkelle voll heißer Kochsud untergerührt wird. Darauf achten, dass sich keine Klümpchen bilden. Diese Mischung mit einem Schneebesen in den im Topf verbliebenen Sud schlagen und diesen andicken lassen. Bruno berechnet ca. 1 l Muscheln pro Person als Haupt-, die Hälfte davon als Vorspeise. In Frankreich werden Miesmuscheln traditionellerweise in Litern gemessen (1 l entspricht ca. 750–800 g), was sich daraus erklärt, dass die Frauen der Muschelfischer früher den Bauernhof bewirtschafteten und gleichzeitig Milch und Muscheln verkauften und beides mit dem gleichen Halblitermaß schöpften und berechneten.

TRUITE FUMÉE AU RAIFORT

Geräucherte Forelle mit Meerrettichsauce

FÜR 4 PERSONEN
FÜR EINEN HOLZKOHLEGRILL MIT DECKEL,
CA. 150 G HOLZSPÄNE

Geräucherte Forelle

- Pro Person 2 kleine Forellen à je 200–250 g, geputzt und mindestens 15 Min. in einer Lake aus 1 l Wasser, 10 g Salz und dem Saft von 1 Zitrone gewässert
- 1 Knoblauchzehe pro Fisch, durch eine Knoblauchpresse passiert
- 3 Salbeiblätter pro Fisch
- 2 kurze Zweige Rosmarin pro Frisch
- 1 Bund (glattblättrige) Petersilie, nur die Blätter, gehackt
- Salz
- Pfeffer aus der Mühle

Meerrettichsauce

- 150 g *crème fraîche*
- 100 g Mayonnaise
- 20 g Meerrettich, gerieben
- 2 EL frisches Basilikum, gehackt
- Saft ½ Zitrone
- 1 TL (süße) Sojasauce

Den auf dem Foto abgebildeten Fisch haben wir in einer speziellen, von unserem Freund Hannes gebauten Vorrichtung geräuchert. Aber ein herkömmliches Grillgerät mit verschließbarem Deckel tut's auch. Ausschlaggebend für den Rauchgeschmack sind die verwendeten Holzspäne. Wir entscheiden uns meist für Buchen- oder Apfelbaumspäne und nutzen die Wartezeit, während die Forellen gewässert werden, um die Grillkohle anzuzünden und eine gute Handvoll (ca. 150 g) Holzspäne in einer Aluminiumschale mit klarem Wasser zu tränken.

Geräucherte Forelle

Sobald die Kohle von innen heraus glüht und an der Oberfläche grau zu werden anfängt, die Fische aus der Lake nehmen und mit Haushaltpapier trockentupfen. Bauchhöhlen mit der gepressten Knoblauchzehe ausstreichen und mit Salbeiblättern, Rosmarin und Petersilie füllen. Fisch innen und außen salzen und pfeffern.

Aluminiumschale mit den Holzspänen auf die glühende Kohle legen. Grillrost in ausreichendem Abstand darüberhängen und die Fische darauf verteilen. Deckel des Grills aufsetzen und den Fisch 30 Min. räuchern. Wenn nötig, weitere angefeuchtete Holzspäne nachfüllen, damit sich durchgängig Rauch entwickeln kann.

Brunos Tipp: Bruno serviert den Räucherfisch meist mit einer cremigen Meerrettichsauce.

Meerrettichsauce

Crème fraîche, Mayonnaise und Meerrettich vermischen, dann Basilikum, Zitronensaft und Sojasauce beifügen.

Brunos Tipp: Zum geräucherten Fisch passen sehr gut Kartoffelsalat, geröstetes *pain de campagne* (Rezept S. 186) oder *pain artisanal* (Rezept S. 189) sowie ein grüner Salat.

PERCHE AU BEURRE NOISETTE

Flussbarsch mit zerlassener brauner Butter

FÜR 4 PERSONEN
FÜR EINEN DICKWANDIGEN TOPF

- 100 g Mehl
- 1 TL Salz
- ½ TL gemahlener weißer Pfeffer
- ½ TL Cayennepfeffer
- 100 g Butter für eine *beurre noisette* (siehe dazu auch *Brunos Küchennotizen*, S. 293)
- pro Person 1 großes Barschfilet à 300 g oder 2 kleinere à ca. 150–200 g
- 10 ml Zitronensaft

Der Barsch ist ein Raubfisch und weiß sich zu wehren. Es muss schon ein guter Angler sein, der ein Exemplar an Land zieht. Der Einsatz lohnt sich allemal.

Mehl und Gewürze in einer Schüssel miteinander vermengen und die Filets darin wälzen. In einem dickwandigen Topf Butter vorsichtig erhitzen, bis sie ganz zerlaufen ist und sich Schaum bildet. Mit einem Schneebesen verrühren, bis sie allmählich Farbe annimmt. Hitze verringern, Fischfilets in den Topf geben und auf beiden Seiten 2 Min. goldgelb anbraten und sofort mit einem Spritzer frischem Zitronensaft und der *beurre noisette* servieren.

Brunos Tipp: Bruno isst immer frisches Baguette und grünen Salat dazu.

LE CHASSEUR

Der Jäger

Der Jäger

Im Périgord gibt es kaum einen Waldweg, der nicht zu einer Jagdhütte führt, kaum ein Feld ohne Hochsitz und kaum eine Landstraße, über die man nicht eine Gruppe von Männern mit Flinten unter den Armen gehen sieht. Manche tragen Tarnkleidung, die Vorsichtigeren unter ihnen leuchtend orangefarbene oder gelbe Westen, aus Angst, man könnte sie mit Wild verwechseln. Und während der Jagdzeit vergeht kaum ein Tag, an dem man nicht die Büchsen knallen hört. Die Kinder der Region lernen früh, zwischen den Schüssen aus einem Jagdgewehr, mit dem auf Hoch- und Schwarzwild angelegt wird, und denen aus einer Vogelflinte zu unterscheiden.

Gans und Ente sind aus der Küche des Périgord nicht wegzudenken. Drei große Flüsse – die Dordogne, die Vézère und die Isle – verlaufen in weiten Bögen und Kehren durch das fruchtbare Tal, und ehe im vergangenen Jahrhundert Dämme und Deiche gebaut wurden, traten alle drei auch noch regelmäßig über die Ufer. Die im Frühjahr und Herbst überfluteten Auen waren ein Paradies für Wasservögel – einer der Gründe dafür, warum das Périgord für seine *foie gras* bekannt wurde, die Leber von gemästeten Enten und Gänsen. Aus Enten lassen sich aber auch klassische Gerichte wie die *magret de canard* (Entenbrust) und das über viele Stunden eingekochte und in Schmalz konservierte *confit de canard* (Enten-Confit) zubereiten. Zur Überraschung von Ernährungsexperten hat sich die hiesige Küche als durchaus gesund erwiesen, und trotz der großzügigen Verwendung von Schmalz – zum Beispiel bei der Zubereitung von *pommes de terre à la sarladaise* – zählt das Périgord zu den Regionen mit den niedrigsten Raten an Herzerkrankungen in Europa.

In Frankreich sind 1,2 Millionen Jäger registriert, so viele wie in keinem anderen europäischen Land, und der Jagdsport rangiert in puncto Beliebtheit direkt nach Fußball. Im Unterschied zu Großbritannien und Deutschland darf in Frankreich auch immer noch mit Hunden gejagt werden. Manche britischen Jagdfreunde reisen der freizügigeren Gesetze wegen nach Frankreich, doch hält sich deren Zahl in Grenzen. Französische Jäger stellen, zu Pferd und von Hunden begleitet, Wildschweinen und Hirschen nach, die englische Tradition der Fuchsjagd jedoch hat hier nie Fuß fassen können.

Auf die Jagd gehen fast ausschließlich Landbewohner, die von ihren Vätern und Großvätern das Jagen gelernt haben und Beute machen, weil sie Wildbret auf dem Tisch haben wollen. Außerdem legt man Wert auf die Zugehörigkeit zu einem Jagdverein, der auf dem Land eine wichtige gesellschaftliche Bedeutung hat. Dort treffen sich der Bürgermeister, der Baron und der einfache Feldarbeiter auf Augenhöhe. Sie helfen einander, das erlegte Wild auf unwegsamem Terrain zu bergen, und feiern ihren Erfolg mit einem Festmahl vor der Jagdhütte.

Wer jagen will, muss, bevor er überhaupt eine Jagderlaubnis beantragen kann, einen Sicherheitskurs für Feuerwaffen absolvieren. Dazu gehört ein schriftlicher Test mit Fragen zur Fauna, zur Umwelt und zu den Gesetzen rund um die Jagd, gefolgt von einer praktischen Prüfung unter Verwendung von Platzpatronen und wechselnden Attrappen. Schießt ein Kandidat auf geschützte Tiere, fällt er durch. Vorausgesetzt wird außerdem eine hinlängliche Unfallversicherung. Handfeuerwaffen, Repetierflinten und elektronische Hilfen wie Walkie-Talkies oder Nachtsichtgeräte sind verboten.

20

SOUPE DE CARCASSE

Knochensuppe aus dem Périgord

FÜR 6–8 PERSONEN
FÜR EINEN GROSSEN SUPPENTOPF

- 1 mittelgroßer Kohlkopf, weiß oder rot; gesäubert, vom Strunk befreit; geviertelt und in 5 cm große Stücke geschnitten
- 1 ganzes Knochengerippe von der Ente oder Gans
- 500 g getrocknete weiße Bohnen, über Nacht oder mindestens 2 Std. in Wasser eingelegt
- 2 l Wasser
- Salz
- 3 Karotten, gewürfelt
- 3 große Kartoffeln (zusammen mindestens 300 g), festkochend, geschält und gewürfelt
- 3 Steckrüben (faustgroßes Wurzelgemüse in den Farben Weiß bis Violett), geschält und gewürfelt
- 1 Zwiebel, gespickt mit 4 Gewürznelken
- 1 Kräutersträußchen (*bouquet garni*, siehe dazu *Brunos Küchennotizen*, S. 297)
- Pfeffer aus der Mühle
- 3 Lauchstangen, gewaschen und in 1 cm breite Ringe geschnitten
- 3 Knoblauchzehen, geschält und fein gehackt
- 10 g Gänse- oder Entenschmalz oder 10 ml Olivenöl
- 20 g Mehl
- *crème fraîche*
- glatte Petersilienblätter, grob gehackt

Die Suppen des Périgord sind nichts für Zaghafte. Von dieser, mit einem Knochengerippe zubereiteten, Suppe heißt es, dass sie Kranke gesunden lässt, die von der Schulmedizin schon aufgegeben wurden. Sie eignet sich auch gut zur Behandlung der Nachwirkungen exzessiven Alkoholgenusses.

Kohlkopfstücke blanchieren, d.h. in viel kochendem Salzwasser 5–10 Min. überbrühen. Knochengerippe und Bohnen in 2 l kaltes Salzwasser geben und zum Kochen bringen. Karotten-, Kartoffeln- und Steckrübenwürfel sowie Kohlkopfstücke, Zwiebel und Kräutersträußchen in den Knochen-Bohnen-Kochtopf geben. Mit Pfeffer abschmecken. Lauchringe und Knoblauch in einer separaten Pfanne in Entenschmalz anschwitzen. Mit Mehl bestäuben und in den Knochen-Bohnen-Kochtopf geben. Etwa 90 Min. weiterköcheln lassen, bis die Bohnen gar sind. Knochengerippe und Kräutersträußchen aus dem Kochtopf entfernen, Schaum abschöpfen.

In einzelne Suppenschalen gießen, je einen Esslöffel *crème fraîche* darübergeben und mit Petersilie bestreuen.

Brunos Tipp: Erscheint die Suppe noch ein wenig zu dünn, ein paar Stücke trockenes Brot in die Schalen geben und die Suppe anschließend darüber gießen.

Ein Knochengerippe *(une carcasse)* ist das, was übrigbleibt, wenn Brust, Schenkel, Flügel, Kopf und Innereien (wie hier eines Geflügels) entfernt wurden. Solche Reste werden auf fast allen Märkten des Périgord angeboten. Man kann natürlich auch eine komplette Ente kaufen, entsprechend zubereiten und die Einzelteile separat verwerten.

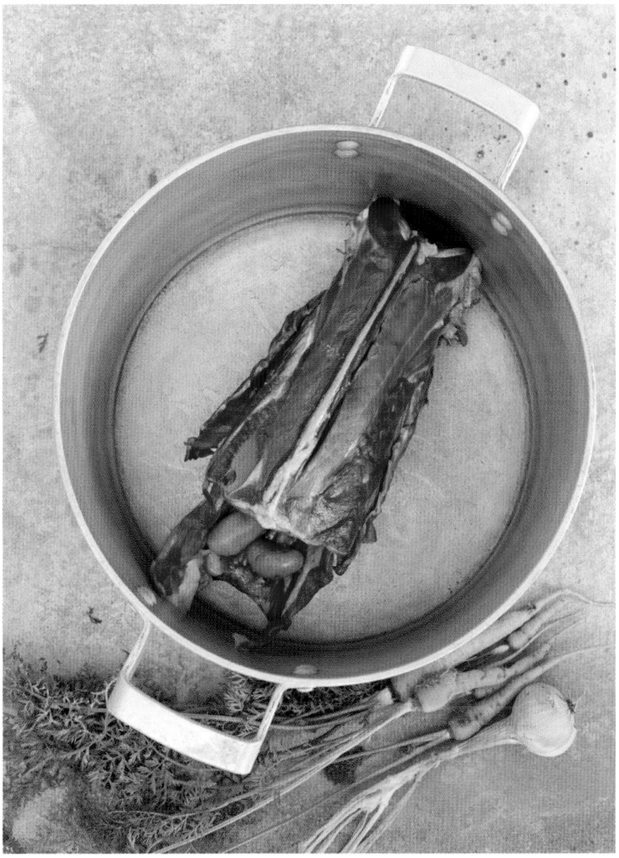

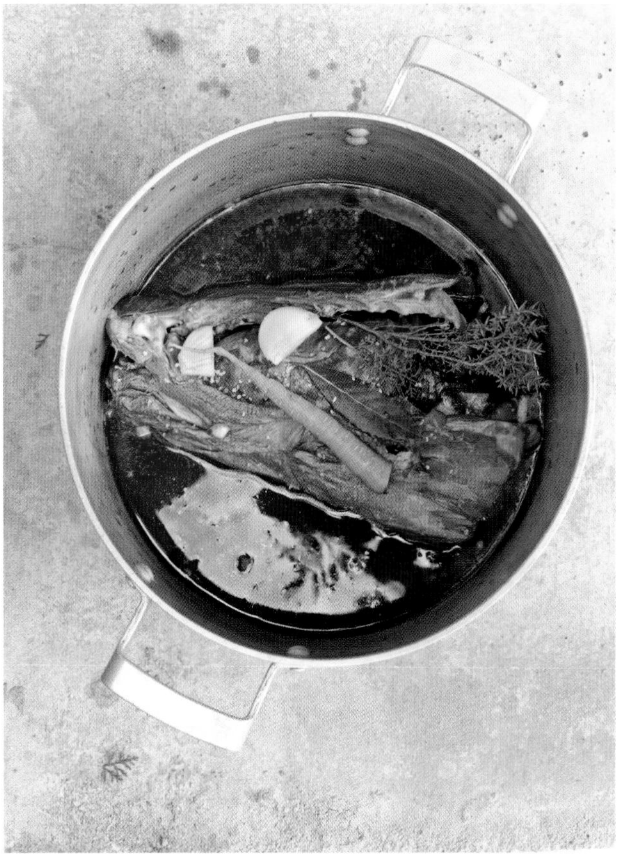

LAPEREAU AUX PRUNEAUX

Kaninchen mit Backpflaumen

FÜR 4–6 PERSONEN
FÜR EINE PFANNE UND EINEN GROSSEN BRÄTER

- 20 entkernte Backpflaumen (am besten *pruneaux d'Agen*, aber es eignen sich auch andere biologisch angebaute Sorten guter Qualität)
- 50 g Zucker
- 500 ml Bergerac rouge oder einen anderen fruchtigen Rotwein
- 150 ml Wasser
- 1,5 kg Kaninchen, jung, vom Metzger küchenfertig zerlegt
- Thymian
- 40 g Entenschmalz oder 40 ml Olivenöl
- Salz
- 1 Zwiebel, fein gehackt
- 3 Schalotten, fein gehackt
- 3 Knoblauchzehen, gepresst
- Pfeffer aus der Mühle
- 1 Schöpfkelle Hühnerbrühe oder Kalbsfond
- 200 ml Sahne

In einer Pfanne Pflaumen mit Zucker in Wein und Wasser einlegen. Wenn sie sich vollgesaugt haben, Pflaumen mit einer Schaumkelle in eine Schale geben und beiseitestellen.

Kaninchenstücke mit Thymian einreiben. Entenschmalz in einem Bräter schmelzen und die Kaninchenstücke portionenweise bei hoher Temperatur rundum anbraten, herausnehmen, salzen. Zwiebel, Schalotten und Knoblauch in den Bräter geben, anschwitzen, Kaninchenteile zugeben und eine Schöpfkelle Hühnerbrühe oder Kalbsfond zugießen. Bei geschlossenem Deckel ca. 30 Min. sehr sanft köcheln lassen. Mit Salz und Pfeffer abschmecken.

Während die Kaninchenstücke köcheln, Pflaumenflüssigkeit in der Pfanne zu einer sirupartigen Konsistenz aufkochen und eindicken lassen, mit Sahne verrühren, kurz vor dem Servieren Pflaumen zufügen und kurz in der Sauce erwärmen.

Kaninchenstücke mit den Pflaumen auf einem vorgewärmten Servierteller anrichten, mit der Sauce übergießen und servieren.

CAILLES RÔTIES EN FEUILLES DE VIGNE

Gebratene Wachteln im Weinblatt

FÜR 6 PERSONEN
FÜR EINEN KLEINEN BRÄTER

- 6 Wachteln, abgespült, mit einem Papiertuch trockengetupft und anschließend an den Beinen mit Bindfaden zusammengebunden
- Salz
- Pfeffer aus der Mühle
- 6 Scheiben geräucherter Schinkenspeck
- 6 Weinblätter, ungespritzt, gewaschen und trockengetupft
- 1 Knoblauchknolle, in Knoblauchzehen zerlegt, geschält
- 120 g Butter
- 350 g grüne Weintrauben, blanchiert (siehe zum Blanchieren *Brunos Küchennotizen*, S. 293), gehäutet
- 200 ml Hühnerfond
- 100 ml Weißwein
- 100 ml *verjus* (Rezept siehe *Brunos Küchennotizen*, S. 300) oder Zitronensaft

Ofen auf 200° C (Umluft 180° C, Gas Stufe 3) vorheizen. Wachteln großzügig salzen und pfeffern und mit jeweils einer Scheibe Schinkenspeck umwickeln. Je in ein Weinblatt einschlagen. Wenn nötig, die Weinblätter mit Zahnstochern zusammenheften. Wachteln mit den Knoblauchzehen in einen Bräter legen und auf jede Wachtel 10 g Butter geben. 20–25 Min. im Ofen braten, bis das Fleisch gar ist. (Nicht zu lange – dieses Geflügel bräunt nicht an.) Wachteln, mit einer Folie zugedeckt, ruhen lassen. Knoblauch beiseitelegen.

Hitze unter dem Bräter erhöhen. Den Bratensatz mit einem Holzlöffel 3–5 Min. lang umrühren. Weintrauben und den beiseitegelegten Knoblauch zugeben und weitere 5 Min. köcheln lassen, mit Hühnerfond, Wein, *verjus* und der übrigen Butter ablöschen. Gelegentlich umrühren, bis die Sauce eindickt und die Weintrauben gar sind.

Sauce über die Wachteln gießen und servieren.

MAGRET DE CANARD À LA CRÈME DE CASSIS

Gebratene Entenbrust an Schwarzer-Johannisbeer-Sauce

FÜR 4 PERSONEN
FÜR EINE GUSSEISERNE PFANNE

- 2 Entenbrüste, mit Haut, gewaschen und abgetrocknet
- Salz
- Pfeffer aus der Mühle

Schwarze-Johannisbeer-Sauce

- 20 g Butter
- 3 große Schalotten, fein gehackt
- 3 Knoblauchzehen, fein gehackt
- 60 ml *crème de cassis*
- 60 ml Hühnerfond
- 100 g oder 4–5 EL Schwarze-Johannisbeer-Marmelade mit ganzen Früchten
- 3 EL feinkörniger Dijon-Senf
- Salz
- Pfeffer aus der Mühle

André Daguin, ehemaliger Chefkoch und Besitzer des Hôtel de France in Auch im südwestlichen Département Gers, gilt als »Erfinder« des *magret de canard*, heute die klassische Zubereitungsart einer Entenbrust. Früher wurden dagegen Entenbrüste eher geschmäht, weil man meinte, dass sie sich nicht so gut konfieren ließen wie Entenschenkel.

Eine gusseiserne Pfanne erhitzen, bis ein Tropfen Wasser zischend über den Boden perlt. Haut der Entenbrust mit einem scharfen Messer rautenförmig oder in parallelen Schnitten im Abstand von 2 cm einritzen. Nicht ins Fleisch schneiden. Entenbrüste mit der Hautseite nach unten in die trockene heiße Pfanne legen und goldbraun anbraten. Nach 3–4 Min. wenden und 2 Min. auf der anderen Seite anbraten. Salzen und pfeffern. Aus der Pfanne nehmen und 10 Min. ruhen lassen.

Schwarze-Johannisbeer-Sauce
Butter in einem mittelgroßen, schweren Topf bei mittlerer Hitze schmelzen. Schalotten und Knoblauch zugeben und ca. 3–5 Min. glasig dünsten. *Crème de cassis*, Fond, Marmelade und Dijon-Senf einrühren und 10 Min. leise köcheln lassen. Mit Salz und Pfeffer würzen. Die Sauce sollte von sirupartiger Konsistenz sein. Ist sie zu flüssig, weiter reduzieren lassen.

Entenbrüste aufschneiden und mit der noch warmen Schwarzen-Johannisbeer-Sauce servieren.

CONFIT DE CANARD

Enten-Confit

FÜR 2–3 EINMACHGLÄSER, EINE GROSSE KASSEROLLE UND EINEN TIEFEN TOPF

- Blättchen von 1 Zweig Thymian, gehackt
- 1 Lorbeerblatt, gestoßen
- Meersalz oder Pökelsalz
- 4 Entenkeulen
- Enten- oder Gänseschmalz

Confit leitet sich von lateinisch *conficere* bzw. französisch *confire* ab, was so viel wie kandieren bzw. konservieren bedeutet. Diese Methode des Konservierens geht bis auf das Mittelalter zurück, als Früchte zum Haltbarmachen in Zucker eingelegt wurden. Im Südwesten Frankreichs hat sie, angewendet auf Entenkeulen (und Schweinelenden – siehe *enchaud de porc*, Rezept S. 135), das *confit de canard* hervorgebracht, eines der beliebtesten Gerichte dieser Region.

Einmachgläser unter sehr heißem Wasser ausspülen. Thymian, Lorbeerblatt und Salz vermischen und Entenkeulen damit einreiben. In ein Glas- oder Porzellangefäß geben und zugedeckt im Kühlschrank 6 Std. oder über Nacht ruhen lassen; das Salz wird dem Fleisch Feuchtigkeit entziehen. Salz von den Keulen abwischen und darauf achten, dass die Haut trocken ist. In einer großen Kasserolle so viel Entenschmalz erhitzen, dass die Keulen gänzlich davon bedeckt sind. Bei sehr geringer Hitze 2½ Std. garen. Entenkeulen herausnehmen, ein wenig abkühlen lassen und in die Einmachgläser geben.

Das geschmolzene Fett durch ein mit einem Baumwolltuch ausgelegtes Sieb in die Gläser füllen, bis die Keulen davon bedeckt sind. Einmachgläser fest verschließen und in einen tiefen Topf mit kochendem Wasser stellen. Bei geschlossenem Deckel 30 Min. kochen lassen. Gläser aus dem Topf nehmen, abkühlen lassen und bis zum Verzehr an einem dunklen Ort aufbewahren.

Brunos Tipp: Vor dem Servieren die vom Konservierfett befreiten Keulen mit der Hautseite nach oben in eine Kasserolle legen und in einem auf 180° C (Umluft 160° C, Gas Stufe 2) vorgeheizten Ofen ca. 20–30 Min. knusprig braten.
Dazu werden Kartoffeln nach Art von Sarlat *(pommes de terre à la sarladaise*, Rezept S. 76*)* gereicht.

SAUTÉ DE SANGLIER AUX BAIES DE GENIÈVRE ET AU PAIN D'ÉPICES

Wildschwein in Wacholder-Gewürzkuchen-Sauce

FÜR 6 PERSONEN
FÜR EINEN GROSSEN BRÄTER

- 1,5 kg Wildschweinschulter, grob gewürfelt
- 40 g Entenschmalz oder 40 ml Olivenöl
- 1 große Zwiebel, fein gehackt
- 6 Schalotten, fein gehackt
- 2 Knoblauchzehen, fein gehackt
- 8 Wacholderbeeren, im Mörser gestoßen
- 25 ml Dunkelbier
- 1 Kräutersträußchen *(bouquet garni*, siehe dazu *Brunos Küchennotizen*, S. 297*)*
- Salz
- Pfeffer aus der Mühle
- Wasser (so viel, dass es das Gargut bedeckt)
- 1 dicke Scheibe unglasierter Gewürz- oder Lebkuchen, zerbröselt
- 10 g Butter, kalt
- 1 kleines Bund glatte Petersilie, fein gehackt

Marinade für eine Alternative zur Wildschweinkeule

- 1 l Rotwein
- 4 EL Weinessig
- 2 Zwiebeln, in Scheiben geschnitten
- 3 Knoblauchzehen, geschält, gepresst
- 3 Lorbeerblätter
- 3 Zweiglein frischer Thymian
- 12 Pfefferkörner, schwarz
- 8 große Wacholderbeeren, leicht gestoßen
- 2,5–3,5 kg Schweinekeule

Wildschweinfleisch in heißem Entenschmalz im Bräter kurz anbraten. Durch eine Schaumkelle abtropfen lassen und auf einem vorgewärmten Teller beiseitestellen. Bei niedrigerer Hitze Zwiebel und Schalotten unter ständigem Rühren im selben Schmalz glasig andünsten. Knoblauch und Wacholderbeeren hinzufügen. Wildschweinfleisch zurück in den Bräter geben und das Dunkelbier zugießen. Kräutersträußchen *(bouquet garni)* zugeben. Salzen und pfeffern und mit Wasser auffüllen, bis das Fleisch bedeckt ist. Zum Köcheln bringen, Schaum abschöpfen und bei niedriger Temperatur und nicht ganz geschlossenem Deckel 1 Std. lang sanft köcheln lassen. Wildschweinfleisch mit einer Schaumkelle erneut herausnehmen und auf einem vorgewärmten Teller beiseitestellen. Hitze erhöhen und den Sud bis auf die Hälfte reduzieren lassen. Gewürz- oder Lebkuchen unterrühren, bis er sich in der Flüssigkeit aufgelöst hat. Bräter von der Herdplatte nehmen und Butter rasch einrühren.

Wildschweinfleisch zurückgeben, dann auf vorgewärmten Tellern anrichten und mit gehackter Petersilie servieren.

Brunos Tipp: Wenn kein Wildschwein erhältlich ist, kann man auch Schweineschulter verwenden und diese in folgender Marinade einlegen, dank der das Schweinefleisch anschließend nach Wildschwein schmeckt.

Marinade für eine Schweinekeule, 2,5–3,5 kg
In eine Plastiktüte oder eine nicht metallene Schüssel, die für die Fleischmenge groß genug ist, Rotwein, Weinessig, Zwiebeln, Knoblauch, Lorbeerblätter, Thymian, Pfefferkörner, Wacholderbeeren geben. Das Fleisch in die Marinade geben, Tüte sicher zubinden oder Schüssel mit Frischhaltefolie versiegeln und im Kühlschrank oder an einem kühlen, dunklen Ort 4 Tage lagern. Das Fleisch sollte 2 Mal am Tag gewendet werden. Vor der Weiterverarbeitung die Marinade abgießen und das Fleisch mit Küchenpapier abtrocknen.

PIGEONS FARCIS SUR LIT DE PETITS POIS ET CAROTTES

Gefüllte Tauben auf einem Erbsen-Karotten-Bett

FÜR 4 PERSONEN
FÜR EINE AUFLAUFFORM

- 150 g Schweinemett
- 1 Ei, geschlagen
- 1 Prise Muskatnuss
- Salz
- Pfeffer aus der Mühle
- 2 Tauben, vom Metzger fachmännisch ausgenommen und halbiert
- 40 g Butter, zimmerwarm
- 1 Zwiebel, geschält und fein gehackt

<u>Erbsen und Karotten</u>

- 1 mittelgroße Zwiebel, geschält, fein gehackt
- 20 Blätter Kopfsalat, in Stücke gerissen
- 80 g Butter
- 250 g Erbsen, wenn möglich frisch
- 1 Karotte, in feine Scheiben geschnitten
- 10 g Zucker
- 1 Prise Muskatnuss
- Salz
- Pfeffer aus der Mühle
- etwas Wasser

Ofen auf 190° C (Umluft 170° C, Gas Stufe 2–3) vorheizen. Schweinemett und Ei vermengen. Mettmasse mit Muskatnuss, Salz und Pfeffer würzen. Taubenhälften damit füllen und mit der Hautseite nach oben in eine mit Butter eingefettete Auflaufform geben. Butter auf jede Hälfte streichen. Taubenhälften leicht salzen und pfeffern und 40 Min. backen. Zum Anrichten eine großzügige Portion *petits pois* sowie ein paar Karottenscheiben auf einem vorgewärmten Teller verteilen, die Taubenhälften auflegen und servieren.

<u>Erbsen und Karotten</u>

In einer Pfanne Butter schmelzen, Zwiebel und Salatblätter bei geringer Temperatur und unter ständigem Rühren ca. 5 Min. darin dünsten. Zucker, Muskatnuss, Salz und Pfeffer einstreuen. Erbsen und Karotte zugeben und alles miteinander verrühren. Bei geschlossenem Deckel unter Beigabe von etwas Wasser (regelmäßig kontrollieren) sanft sautieren, bis die Erbsen und die Karotte gar sind.

TERRINE DE FOIE GRAS

Leberterrine

Als Vorspeise für 4 Personen
für eine Steingut-Kastenform
(20 x 11 x 7 cm)

- 900 g frische Stopfleber *(foie gras)* von Ente oder Gans, von deren Lappen mit der Spitze eines scharfen Messers alle Nervenfasern, Blutgefäße und grünlichen Stellen entfernt wurden; dabei darauf achten, dass die Lappen möglichst intakt bleiben
- Salz
- weißer Pfeffer
- 100 ml Cognac oder Armagnac
- 200 g Gänseschmalz
- 20 g Mehl
- 200 ml Wasser

Zwiebelmarmelade *(confiture à l'oignon)*

- 140 g Butter
- 4 EL Olivenöl
- 2 kg Zwiebel, möglichst rote, der Länge nach halbiert, in feine Scheiben geschnitten
- 4 Koblauchzehen, fein gehackt
- 140 g Zucker
- 1 EL frische Thymianblättchen
- 750 ml Rotweinessig
- 200 ml Portwein, Madeira oder einen anderen Süßwein
- Salz
- Pfeffer aus der Mühle

Stopfleber auf einem Brett sehr vorsichtig salzen und pfeffern. Etwas vom Cognac oder Armagnac darauftäufeln. Leberlappen einrollen, in eine Steingut-Kastenform mit Deckel legen und mit dem restlichen Alkohol beträufeln. Gänseschmalz erwärmen, über die Leber gießen und damit die Terrine versiegeln. Terrine kalt stellen. Den Rand zwischen Deckel und Form entweder mit einem Kitt aus Mehl und Wasser oder mit einer doppelten Lage Aluminiumfolie versiegeln. Über Nacht im Kühlschrank lagern.

Am nächsten Tag Leberterrine Raumtemperatur annehmen lassen. Ofen auf 120° C (Umluft 100° C, Gas niedrigste Stufe) vorheizen. Kastenform in einen großen, mit kochendem Wasser zur Hälfte befüllten Bräter stellen und in den Ofen schieben. Nach 35 Min. Kastenform aus dem Wasser heben, abkühlen und noch einmal über Nacht im Kühlschrank ruhen lassen. Vor dem Servieren Mehlkitt entfernen. Leberterrine mit getoastetem *pain de campagne* (Rezept S. 186) und eventuell mit einer Zwiebel- oder Feigenmarmelade servieren.

Zwiebelmarmelade:
In einer großen Pfanne mit schwerem Boden bei mittlerer Hitze Butter im Öl schmelzen. Zwiebeln und Knoblauch zugeben, glasig dünsten. Zucker und Thymian einrühren, mit Salz und Pfeffer abschmecken. Unter gelegentlichem Umrühren ca. 50 Min. leise köcheln lassen, bis alle Flüssigkeit verdampft ist und die Zwiebeln weich sind und zu karamellisieren begonnen haben. Wein, Essig und Portwein (bzw. Madeira oder einen anderen Süßwein) einrühren und bei geschlossenem Deckel bei mittlerer Hitze 25–30 Min. köcheln lassen, bis sich die Zwiebeln dunkelbraun verfärbt haben und die Flüssigkeit bis auf ein Drittel der ursprünglichen Menge reduziert ist und eine sirupähnliche Konsistenz angenommen hat. Pfanne vom Herd nehmen und Zwiebeln abkühlen lassen. In sterilisierte Gläser gefüllt im Kühlschrank bis zu 3 Monate haltbar.

FOIE GRAS POÊLÉ AU MIEL ET VINAIGRE

Leberpfanne mit einer Balsamico-Honig-Sauce

PRO PERSON

- 1 Scheibe *pain de campagne* (siehe Rezept S. 186), 2 cm dick, geröstet
- 2 Scheiben rohe Stopfleber (als Vorspeise genügt 1 Scheibe), je 1 cm dick
- 1 EL Honig
- 1 EL Balsamico-Essig

Brotscheiben auf einen vorgewärmten Teller legen. Eine Pfanne ohne Fett stark erhitzen. Wenn ein Wassertropfen darin zu zischen anfängt, die Stopfleber darin auf beiden Seiten je 1 Min. anbraten. Leber auf die Baguettescheiben legen. Hitze reduzieren, Honig und Balsamico-Essig in die Pfanne geben und miteinander vermengen.

Honig-Balsamico über die Leber träufeln und sofort servieren.

Brunos Tipp: Bruno singt beim Braten seiner *foie gras* die französische Nationalhymne, die *Marseillaise*. Nach der ersten Strophe ist exakt 1 Min. um, und er kann die Leber wenden.

AIGUILLETTES DE CANARD MIEL ET MOUTARDE

Entenfiletstreifen an Honig-Senf-Sauce

FÜR 4–6 PERSONEN

- 80 g Mehl
- Salz
- Pfeffer aus der Mühle
- 40 g Entenschmalz oder 40 ml Olivenöl
- 1 kg *aiguillettes*
- 6 EL klarer Honig
- 6 gehäufte EL körniger Senf

Aiguillettes sind die Filetstreifen unter der sehr viel teureren Entenbrust. In Frankreich kann man diese Filets separat kaufen. Man kann dieses Rezept aber auch mit *magret de canard* zubereiten; dazu bitte Fetthaut entfernen und Entenbrust quer zur Fleischfaser in ca. 1 cm dünne Streifen schneiden. Vor der Zubereitung sollten die Filets (bzw. Entenbruststreifen) sorgfältig pariert werden (zum Parieren von Fleisch siehe *Brunos Küchennotizen*, S. 298).

Mehl mit Salz und Pfeffer vermengen. Entenfiletstreifen im Mehl wälzen. Entenschmalz in einer großen Pfanne erhitzen und die Filets auf beiden Seiten kurz anbraten und danach beiseitestellen. Dabei nicht zu viele auf einmal anbraten, denn die Temperatur sollte nicht absinken. Sind alle Filets rundherum angebräunt, Fett aus der Pfanne gießen. Hitze zurücknehmen, Honig und Senf zugeben und verrühren. Entenfiletstreifen kurz in der Honig-Senf-Pfanne wenden.

Auf einem vorgewärmten Teller anrichten und mit der Honig-Senf-Sauce beträufeln.

LE BOUCHER

Der Fleischer

Der Fleischer

Nach einer alten Redensart sucht eine Französin ihren Fleischer sorgfältiger aus als ihren Liebhaber und bleibt ihm auch länger treu. Geschätzt wird ein guter französischer Fleischer nicht nur wegen seiner Fachkenntnis hinsichtlich der Auswahl, der Lagerung und der Zerlegung des Fleischs; er weiß auch Rat für die Zubereitung und hat *plats préparés* – Fertiggerichte – im Angebot. Unser Metzger verkauft köstlich gefüllte *vol-au-vents* (Blätterteigpasteten), in Wein marinierte Rinderzungen, Schweinerollbraten mit Kräutern und Äpfeln und *gigots d'agneau*, mit Knoblauch und Rosmarin gespickte Lammkeulen. Das A und O aber bleibt die Qualität des Fleisches.

Jedes Land ist stolz auf sein Fleisch. Die Amerikaner schwärmen von ihren T-Bone-Steaks, die Schotten preisen die Vorzüge der Aberdeen-Rinder, und Japaner huldigen ihrem Kobe-Rind. Das alles mag ein wenig steinzeitlich anmuten. Jedenfalls scheinen die Franzosen die Einzigen zu sein, die auch anderen ihre Anerkennung für besonders gutes Fleisch zukommen lassen. Sie nennen ihren alten Erzfeind, die Engländer, immer noch *rosbifs* (Roastbeefs), vor allem wohl deshalb, weil diese sich früher fast ausschließlich von Rindfleisch zu ernähren schienen.

Paradoxerweise verzehren die Bewohner der französischen Anrainerstaaten (wie auch die Briten und Amerikaner) heutzutage immer mehr Rindfleisch aus Frankreich, da dessen Qualität dank der eingekreuzten Arten Limousin, Charolais und Blonde d'Aquitaine besonders hoch ist. Das relativ geringe Geburtsgewicht der Limousins garantiert ein weniger problematisches Kalben, die Blondes wachsen schnell, und die Charolais-Rinder haben deutlich mehr Fleisch als Fett. Umso erstaunlicher, dass Blondes und Limousins bis vor nicht allzu langer Zeit vornehmlich als Zugtiere genutzt wurden.

Von Strabon, einem griechischen Geschichtsschreiber des ersten Jahrhunderts vor Christus, weiß man, dass aus Gallien, wo es anscheinend die ersten Schweinemetzger gab, gepökeltes Schweinefleisch nach Rom importiert wurde. Es heißt, dass sich das französische Wort *saucisson* (Wurst) vom lateinischen *sal* – Salz – ableitet und dass die mittelalterliche Gilde der *charcutiers* die Regeln der Schweineschlachtung kodifiziert haben (zum Beispiel war es einem *charcutier* verboten, rohes Fleisch zu verkaufen, allenfalls Fett für die Weiterverarbeitung zu Schmalz). Der erste französische Hinweis auf *saucisson* in der Literatur findet sich übrigens in Rabelais' *Tiers livre* von 1546.

Was die Qualität ihrer milchgefütterten Kälber und Lämmer angeht, sehen sich die Franzosen unangefochten an der Spitze. Auf dem Hof, von dem unsere Käser ihre Milch beziehen, werden Kühe, die vor kurzem gekalbt haben, getrennt von den anderen gemolken, um sicherzustellen, dass den Kälbern die zusätzlichen Proteine und Vitamine ihrer Mütter zugutekommen.

Die von den Brüdern Greffeuille gezüchteten milchgefütterten weißen Lämmer aus dem Département Aveyron sind nunmehr mit dem Gütesiegel AAA ausgezeichnet, das für *l'Agneau Allaiton d'Aveyron* steht und auf den Speisekarten der meisten guten Restaurants neben dem entsprechenden Gericht mit angeführt wird. Die Mutterschafe entstammen der Lacaune-Zucht und sind bekannt dafür, dass sie die Milch für den berühmten Roquefort-Käse liefern, die Böcke sind Berrichons.

Metzger, die weniger erstklassiges Fleisch im Angebot haben, halten sich in Frankreich nicht lange. Doch selbst die guten bekommen die Konkurrenz der Supermärkte zu spüren. Darum haben sich viele unabhängige Fleischereien zu einer Organisation zusammengeschlossen.

POULET
9€00 le kg
LAPIN
11€00 le kg
Volailles Dumas
Périgord - Noir
Volailles Dumas
Périgord - Noir

ENCHAUD DE PORC

Terrine mit Schweinsfilet und -haxen

FÜR 6 GROSSE STERILISIERTE EINMACHGLÄSER ZU JE 2 PORTIONEN
FÜR EINE GROSSE, TIEFE KASSEROLLE

- 500 g Entenschmalz
- 3 Schalotten, halbiert
- 2 Zweige frischer Thymian
- 2 Lorbeerblätter
- 10 g schwarze Pfefferkörner, gestoßen
- 2 kg Schweineschulter, ohne Knochen
- 8 Knoblauchzehen, geschält und gestiftelt
- 100 g Meersalz

Enchaud de porc ist ein klassisches Gericht aus dem Périgord und eine Variante des *confit de canard* (Enten-Confit). Es lohnt sich, eine größere Menge *enchaud* auf Vorrat zuzubereiten, um jederzeit unerwarteten Besuch bewirten zu können.

Ofen auf 100° C (Umluft 80° C, Gas Stufe 1) vorheizen. In der Kasserolle Entenschmalz erhitzen. Schalotten, Thymian, Lorbeerblätter und Pfefferkörner zugeben. Fleisch mit der Spitze eines scharfen Messers an mehreren Stellen einstechen, mit den Knoblauchstiften spicken, mit Salz einreiben und in die Kasserolle legen. Bei geschlossenem Deckel 3 Std. im Ofen garen. Mit einer Schaumkelle Fleisch aus der Kasserolle in eine große Schale heben. Bratensaft durch ein Sieb über das Fleisch gießen und abkühlen lassen. Fleisch in Stücke schneiden, die in die Einmachgläser passen. Fleischstücke in Gläser füllen und mit Bratensaft bedecken. Verschlossene Gläser in einem großen Topf in ein Wasserbad stellen (zum Wasserbad – *bain-marie* – siehe *Brunos Küchennotizen*, S. 301) und bei aufgelegtem Deckel 30 Min. kochen.

Brunos Tipp: Wer das Fleisch nicht einkochen, sondern bald verzehren möchte, lässt es abkühlen, beträufelt es mit Bratensaft und lagert es für mindestens 2 Tage im Kühlschrank. *Enchaud de porc* kann kalt serviert werden. Als Beilage empfehlen sich Salat, eine gebackene Kartoffel mit Gewürzgurken oder auch einfach nur eine Scheibe getoastetes *pain artisanal* (Rezept S. 189). Man kann das Fleisch aber auch im Ofen aufwärmen, mit Bratensaft beträufeln und mit Bratkartoffeln servieren, die im Fett aus dem Einmachglas geröstet wurden, oder mit *pommes de terre à la sarladaise* (Rezept S. 76).

POULET HENRI IV

Huhn nach Art von Heinrich IV.

FÜR 4 PERSONEN

- 8 Knoblauchzehen, fein gehackt
- 1 Bund glatte Petersilie, gehackt
- 150 g durchwachsener Speck, in kleine Würfel geschnitten
- 200 g Semmelbrösel
- 100 ml Milch
- 200 g Wurstbrät (Kalb oder Schwein)
- 3 Eier, geschlagen
- 1 Huhn, ca. 2 kg
- 3 l Wasser
- 2 Zwiebeln, gespickt mit jeweils 4 Gewürznelken
- 1 Kräutersträußchen (*bouquet garni*, siehe dazu auch *Brunos Küchennotizen*, S. 297) aus Thymian, Lorbeerblatt, Salbei, Minze, Oregano und Petersilie
- 6 große Karotten, geschält, längs halbiert
- 6 Lauchstangen, geputzt
- 2 kleine weiße Rüben, geputzt und geachtelt
- 750 g mittelgroße Kartoffeln, festkochend, geschält und halbiert
- Pfeffer aus der Mühle
- Senf
- Gewürzgurken
- Brunos Tomatensauce (Rezept siehe *Brunos Küchennotizen*, S. 300)

»Paris ist eine Messe wert.« Dieser Ausspruch Heinrichs IV., mit dem er sich den Königsthron sicherte, ging in die Geschichte ein. Beim Volk machte er sich als Humanist und Reformator beliebt, vor allem jedoch mit seinem Versprechen, dass jeder Franzose am Sonntag »ein Huhn im Topf« haben sollte. Bruno mag ihn wegen eines dritten Ausspruchs, diesmal über das Périgord: »Großartige Weine, vorzügliches Essen, das Paradies auf Erden.«

2 Knoblauchzehen, Petersilie und Speck in einer Schale beiseitestellen. Semmelbrösel in Milch einweichen, überschüssige Flüssigkeit auspressen und die Bröselmasse in die Schale geben. Wurstbrät einkneten und zusammen mit den Eiern gründlich vermengen. Das Huhn mit dieser Füllung stopfen und zubinden.
3 l Wasser in einem großen Topf zum Kochen bringen, die mit Nelken gespickten Zwiebeln, die 6 verbliebenen Knoblauchzehen und das Kräutersträußchen zugeben. Huhn ins Wasser geben und bei geringer Hitze und geschlossenem Deckel 1 Std. köcheln lassen. Karotten, Lauch und weiße Rüben zugeben, ½ Std. später die Kartoffeln. Eine weitere ½ Std. köcheln lassen. Huhn herausnehmen und auf einen vorgewärmten Servierteller legen. Faden entfernen und das Huhn mit dem Gemüse aus dem Topf anrichten, mit Pfeffer abschmecken. Mit 2 EL der Kochflüssigkeit begießen, den Rest für eine Suppe aufbewahren. Zu dem Huhn werden Schälchen mit Senf, Gewürzgurken und Tomatensauce gereicht.

BŒUF À LA PÉRIGOURDINE

Rindfleischschmortopf nach Art des Périgord

FÜR 4 PERSONEN
FÜR EINE SEHR GROSSE KASSEROLLE

- 20 g Entenschmalz oder 20 ml Olivenöl
- 1 kg Rindfleisch, Schulter oder Rindergulasch, in 2,5 cm große Würfel geschnitten und mit Küchenpapier trockengetupft
- 1 Zwiebel, grob gehackt
- 20 g Mehl
- ½ Flasche Bergerac oder ein anderer fruchtiger Rotwein
- 3 Knoblauchzehen, grob gehackt
- Salz
- Pfeffer aus der Mühle
- 1 Lorbeerblatt
- 1–2 Zweige frischer Thymian oder ½ TL getrockneter Thymian
- 1 mittelgroße Karotte, in dünne Scheiben geschnitten
- 250 g durchwachsener, wahlweise geräucherter Speck, gewürfelt
- 250 g ganze Silberzwiebeln, geschält
- 150 g frische kleine Champignons, vorzugsweise braun
- 150 ml *vin de noix* (Rezept dazu siehe *Brunos Küchennotizen*, S. 262), wahlweise Madeira oder Portwein
- 8 mittlere Kartoffeln, in der Schale, gewaschen (optional)

Eins von Brunos Lieblingsgerichten ist *bœuf bourguignon*, Rindfleisch in Rotwein geschmort. Wie der Name verrät, stammt das Gericht aus dem Burgund (französisch Bourgogne), wo es erstmals zubereitet wurde, um damit für die Rotweine der Region zu werben. Als Lokalpatriot verwendet Bruno für dieses Gericht aus vorzüglichem Rindfleisch aus dem Périgord einen hiesigen Bergerac-Rotwein und für den besonderen Pfiff seinen selbst aufgesetzten *vin de noix*.

Ofen auf 150° C (Umluft 130° C, Gas Stufe 1) vorheizen. Entenschmalz oder Olivenöl in der Kasserolle erhitzen. Fleischwürfel portionenweise darin anbraten und mit einem Schaumlöffel auf einen vorgewärmten Teller legen. Zwiebel in der Kasserolle glasig dünsten. Wenn sie Farbe annimmt, den Bratensatz vom Boden lösen und das Fleisch wieder hinzufügen. Fleisch von allen Seiten mit Mehl bestäuben. Gut umrühren. Nach und nach Rotwein zugießen. Weiter gut umrühren, um Klümpchenbildung zu vermeiden. Knoblauch zugeben. Salzen und pfeffern. Lorbeerblatt, Thymian und Karottenscheiben hinzufügen. Kasserolle mit geschlossenem Deckel für 2 Std. in den Ofen schieben. In einer Pfanne Speckwürfel anbraten, bis sich das Fett fast vollständig verflüssigt hat. Silberzwiebeln und Champignons zugeben und im Fett schwenken. Sobald sie Farbe annehmen, die Mischung mit einem Schaumlöffel in die Kasserolle geben. *Vin de noix* (bzw. Madeira oder Portwein) zugießen.

Kasserollendeckel aufsetzen und für weitere 40 Min. in den Ofen stellen. Nach 10 Min. Kartoffeln beifügen, mitgaren. Kasserolle aus dem Ofen nehmen. Lorbeerblatt entfernen. Nochmals mit Salz und Pfeffer abschmecken.

Brunos Tipp: Bereiten Sie dieses Gericht einen Tag vor dem geplanten Essen zu. Vor dem Servieren einfach nur erhitzen und 10 Min. schmoren lassen. 1–2 Tage später schmeckt es noch besser.

GIGOT D'AGNEAU AUX HARICOTS COUENNES

Lammkeule mit weißen Speckbohnen

FÜR 4 PERSONEN
FÜR EINEN GROSSEN BRÄTER

- 200 g getrocknete weiße Bohnen (vorzugsweise *haricots tarbais*)
- 100 g Schweineschwarte, 5 Min. blanchiert (siehe dazu *Brunos Küchennotizen*, S. 293) und in 1 cm dicke Streifen geschnitten
- 2 große Zwiebeln, davon eine mit 2 Gewürznelken gespickt
- 1 große Karotte, geschält und in Scheiben geschnitten
- 1 Kräutersträußchen *(bouquet garni)* aus Lorbeerblatt, Thymian, Rosmarin, Bohnenkraut und glatter Petersilie (siehe dazu auch *Brunos Küchennotizen*, S. 297)
- 6 Knoblauchzehen, geschält, 3 davon in Scheibchen, die anderen 3 in dünne Stifte geschnitten
- 4–6 Pfefferkörner
- 100 g Entenschmalz
- 400 g Tomaten, gehäutet (siehe dazu *Brunos Küchennotizen*, S. 300 [Tomatensauce]) und entkernt
- 1 Lammkeule mit Knochen, ca. 1,8 kg
- Salz
- Pfeffer aus der Mühle
- 10 g getrocknete Kräuter der Provence
- 2 EL Semmelbrösel oder Paniermehl

Bohnen 12 Std. oder über Nacht in kaltem Wasser quellen lassen. Abtropfen lassen, in einem Topf mit kaltem Wasser bedecken und gar kochen. Schwarte, eine mit zwei Nelken gespickte Zwiebel, Karotte, Kräutersträußchen, 3 Knoblauchzehen und die Pfefferkörner hinzugeben. Bei geringer Hitze zugedeckt 1 Std. köcheln lassen. Die Schwarte sollte mit den Bohnen verschmelzen. Die zweite Zwiebel fein hacken, in 50 g Entenschmalz glasig anbraten.

Tomaten zu den Bohnen im Topf hinzugeben und wenn nötig etwas Wasser hinzufügen. Nach Geschmack würzen, 50 g Entenschmalz hinzugeben und unter angekipptem Deckel bei geringer Hitze 2 Std. köcheln lassen. Ist die Sauce noch zu flüssig, Deckel abnehmen und bei erhöhter Hitze weiter reduzieren. Die Lammkeule mit den Knoblauchstiften bespicken, mit Salz und Pfeffer einreiben und in einem Bräter bei hoher Hitze in 50 g Entenschmalz scharf anbraten. Keule von allen Seiten mit den Kräutern der Provence bestreuen.

Ofen auf 190°C (Umluft 170°C, Gas Stufe 2–3) vorheizen. Bräter mit der Lammkeule durch Alufolie abdecken und für 1¼ Std. auf der oberen Schiene in den Backofen schieben – oder entsprechend kürzer, wenn das Fleisch in der Mitte rosa sein soll. Keule aus dem Bräter nehmen und mit Alufolie umwickelt 20 Min. ruhen lassen. Fett vom Bratensaft abschöpfen.

In der Zwischenzeit Bohnen mit der Schwarte in ein Gefäß geben, mit den Semmelbröseln bzw. dem Paniermehl bestreuen und mit der Grillfunktion des Ofens leicht anbräunen. Zum Anrichten Lammkeule aufschneiden, mit Bratensaft begießen und mit den Bohnen und der Schwarte servieren.

Brunos Tipp: Wenn Sie das Fleisch nicht scharf anbraten wollen, empfehle ich, es zunächst im Ofen bei 220°C (Umluft 200°C, Gas Stufe 4) zu versiegeln (15 Min.), dann bei 180°C zu garen (60 Min. pro kg = *à point*, 70 Min. = *bien cuit*; mit dem Fleischthermometer gemessen: 60°C Kerntemperatur = *saignant*, 70°C = *à point*, 80°C = *bien cuit*).

CARRÉ DE PORC AUX POMMES

Schweinerückenbraten mit Äpfeln

FÜR 4 PERSONEN
FÜR EINEN GROSSEN BRÄTER

- 1 kg Schweinelende oder Schweinerücken ohne Knochen
- 5 Knoblauchzehen, geschält und gestiftelt
- Salz
- Pfeffer aus der Mühle
- 40 g Entenschmalz oder 40 ml Olivenöl
- ca. 10 kleine, säuerliche Äpfel, geschält und mit einem Ausstecher entkernt
- mehrere Blätter frischer Salbei
- 20 ml Bergerac Sec oder einen anderen trockenen Weißwein

Wenn die Äpfel an Brunos Apfelbäumen zu klein geraten sind oder Schönheitsfehler haben, verkocht er sie, ungeschält und entkernt, mit einem Schweinebraten. Bei den Mengen, die er für dieses Gericht vorsieht, bleibt immer genug Fleisch übrig, das er dann später auch kalt isst, mit einem Bratapfel etwa oder einer seiner selbst eingemachten Backpflaumen an Armagnac oder Portwein (*pruneaux à l'Armagnac ou au porto*, siehe S. 254).

Schweinerücken an verschiedenen Stellen mit einer Messerspitze einstechen und Knoblauchstifte einstecken. Ofen auf 180° C (Umluft 160° C, Gas Stufe 2) vorheizen. Schweinerücken mit Salz und Pfeffer einreiben und bei hoher Hitze im Entenschmalz anbraten. Fleisch in einen Bräter umfüllen. Äpfel zusammen mit den Salbeiblättern ringsum verteilen. Einige Flocken Entenschmalz darüber verteilen. Weißwein zugießen.

Nochmals mit Pfeffer würzen. 50–60 Min. im Ofen garen (ab 45 Min. Garprobe machen); Schweinerücken zwischendurch immer wieder mit dem Bratensaft begießen. 10 Min. ruhen lassen. Aufschneiden, mit den Äpfeln und dem Sud, von dem das Fett abgeschöpft wurde, servieren.

Brunos Tipp: Als Beilage eignen sich neben den Äpfeln auch Brat- oder kleine Frühkartoffeln in der Schale, die im Bräter mitgegart werden.

VEAU AUX MORILLES

Kalbfleisch mit Morcheln

FÜR 4 PERSONEN
FÜR EINE GROSSE KASSEROLLE

- 300 g frische Morcheln, sorgfältig geputzt
- 50 g Entenschmalz oder 40 ml Olivenöl
- Salz
- Pfeffer aus der Mühle
- 1 kg Kalbfleisch, Nacken oder Brust, pariert (zum Parieren siehe *Brunos Küchennotizen*, S. 298) und in 3 cm große Würfel geschnitten
- 1 Zwiebel, mit 2 Gewürznelken bespickt
- 200 ml Bergerac Sec oder ein anderer trockener Weißwein
- 3 Karotten, in Scheiben geschnitten
- 1 Kräutersträußchen *(bouquet garni,* siehe dazu *Brunos Küchennotizen,* S. 297)
- 50 g Butter
- 50 g Mehl
- 2 Eigelbe
- 200 ml *crème fraîche*

Morcheln in einer Pfanne 5 Min. in Entenschmalz dünsten. Mit Salz und Pfeffer würzen und beiseitestellen. Kalbfleischwürfel in einer Kasserolle mit kaltem Wasser bedecken, zum Kochen bringen. Schaum, der sich an der Oberfläche bildet, mit einer Kelle abschöpfen. Bespickte Zwiebel mit Wein, Karotten und Kräutersträußchen zum Fleisch geben. Salzen und pfeffern und zugedeckt 1 Std. köcheln lassen.

In einer zweiten, recht tiefen Pfanne Butter schmelzen lassen und mit dem Mehl verrühren. Mit einer kleinen Menge des Kalbfleischkochwassers zu einer gebundenen Mehlschwitze aufkochen.

In einer Schale die Eigelbe mit der *crème fraîche* verrühren und löffelweise vorsichtig und unter ständigem Rühren mit einem großen Teil des heißen Kalbfleisch-Kochwassers verlängern, so dass das Eigelb nicht stockt. Die so entstandene Eigelb-*crème fraîche*-Mischung in die Mehlschwitze rühren. Gedünstete Morcheln dazugeben. Die nun zu einer dickcremigen Sauce gewordene Mehlschwitze salzen und pfeffern. Kalbfleischwürfel aus der Kasserolle nehmen und kurz abtropfen lassen.

Sauce von der tiefen Pfanne in ein vorgewärmtes Gefäß umfüllen und zusammen mit dem Fleisch servieren.

Brunos Tipp: Werden getrocknete Morcheln verwendet, diese mit kochendem Wasser übergießen und abgedeckt für 1 Std. quellen lassen. Das aromatisierte Wasser, in dem sie gelegen haben, aufbewahren und gegebenenfalls einfrieren; es kann für ein Risotto oder eine Suppe verwendet werden.

BROCHETTES D'AGNEAU AUX ABRICOTS

Grillspieße mit Aprikosen

PRO PERSON

- 150 g Lammkeule oder -schulter
- 1 Knoblauchzehe, fein gehackt
- 4 Blätter frische Minze, fein gehackt
- 1 EL Olivenöl
- 1 EL Wein (trocken, rot oder weiß)
- 1 kleine Zucchini, in 1,5 cm dicke Rädchen geschnitten
- 3 frische Aprikosen, halbiert und entkernt (oder 6 gedörrte Aprikosen, je nachdem, wie trocken sie sind, 1 Std. in Wasser eingeweicht)
- 6 Frühlingszwiebeln, von Wurzeln und dunklem Grün befreit, in Rädchen geschnitten
- Salz
- Pfeffer aus der Mühle

Obwohl sie es ungern zugeben, sind die Franzosen nicht weniger versessen auf Barbecues als die Amerikaner. Aber im Mittelpunkt eines festlichen Essens unter freiem Himmel stehen bei ihnen keine Hamburger und Hotdogs, sondern Bratspieße – *brochettes* –, die abwechselnd mit Fleisch- oder Wurststücken (etwa Schweinswürstchen), Gemüsehappen (etwa Zwiebeln, Paprika und Champignons) und Obst (ein kulinarischer Hochgenuss sind frische oder gedörrte Aprikosen) bestückt sind.

Fleisch in mundgerechte Stücke schneiden. Knoblauch, Minze, Olivenöl und Wein zu einer Marinade verrühren. Zusammen mit dem Fleisch in einen Gefrierbeutel geben, im Beutel gut miteinander vermengen und 1 Std. marinieren lassen. Dann Fleischstücke abwechselnd mit Frühlingszwiebeln, Aprikosen (entweder mit frischen Hälften oder ganzen, eingeweichten, gedörrten Früchten) und Zucchinischeiben auf die Fleischspieße aufreihen. Salzen und pfeffern. Auf dem heißen Grill beidseitig braten.

Dazu schmeckt ein *salade mesclun du ramasseur* (Rezept S. 216).

ROGNONS D'AGNEAU SUR PAIN DE CAMPAGNE GRILLÉ

Lammnierchen auf geröstetem Landbrot

FÜR 4 PERSONEN
FÜR EINE KASSEROLLE MIT DECKEL

- 1 mittelgroße Zwiebel, fein gehackt
- 2 Knoblauchzehen, fein gehackt
- 10 g Butter
- 6 Lammnierchen, mit einer Küchenschere oder einem scharfen Messer von den weißen Fettablagerungen befreit, unter kaltem Wasser abgespült, halbiert
- 1 EL Worcestershire-Sauce
- 2 TL Tomatenmark
- 1 EL feinkörniger Dijon-Senf
- 1 Prise Cayennepfeffer
- 50 ml Sahne
- Salz
- Pfeffer aus der Mühle
- 4 Scheiben *pain de campagne* (Rezept S. 186), knusprig geröstet
- 10 g glatte Petersilie, fein gehackt

Schon die Vorstellung, Nierchen zu essen, kann bei denen, die sie noch nie probiert haben, Ekel erregen. Was bedauerlich ist, denn sie sind, wenn richtig zubereitet, nicht nur köstlich, sondern wegen ihres relativ hohen Gehaltes an Eisen und Vitaminen auch nahrhaft und, nebenbei bemerkt, recht preisgünstig. Sie werden wohl deshalb häufig geschmäht, weil sie, wenn sie nicht ganz frisch sind, einen strengen Duft entwickeln. Vor dem Verzehr sollten sie deshalb nie länger als 24 Std. im Kühlschrank aufbewahrt werden, und beim Kauf ist darauf zu achten, dass die Fettschicht, mit der sie überzogen sind, schön weiß ist. Außerdem sollten sie nicht allzu lang gekocht werden. Der richtige Garpunkt ist erreicht, wenn sie innen noch leicht rosig sind. Aber auch wer sie nicht rosig mag, sollte nicht auf sie verzichten. Vorsichtig püriert, schmecken sie ebenfalls köstlich.

In einer Pfanne Zwiebel und Knoblauchzehen bei geringer Hitze und unter ständigem Rühren in Butter ca. 4 Min. glasig dünsten. Lammnierchen hinzugeben, anbräunen. Worcester-Sauce, Tomatenmark, Dijon-Senf, Cayennepfeffer zugeben, umrühren. Sahne zugießen. Salzen und pfeffern. Nierchen einige Minuten weitergaren, auf die Landbrotscheiben häufen, mit der Sauce übergießen und mit Petersilie bestreuen.

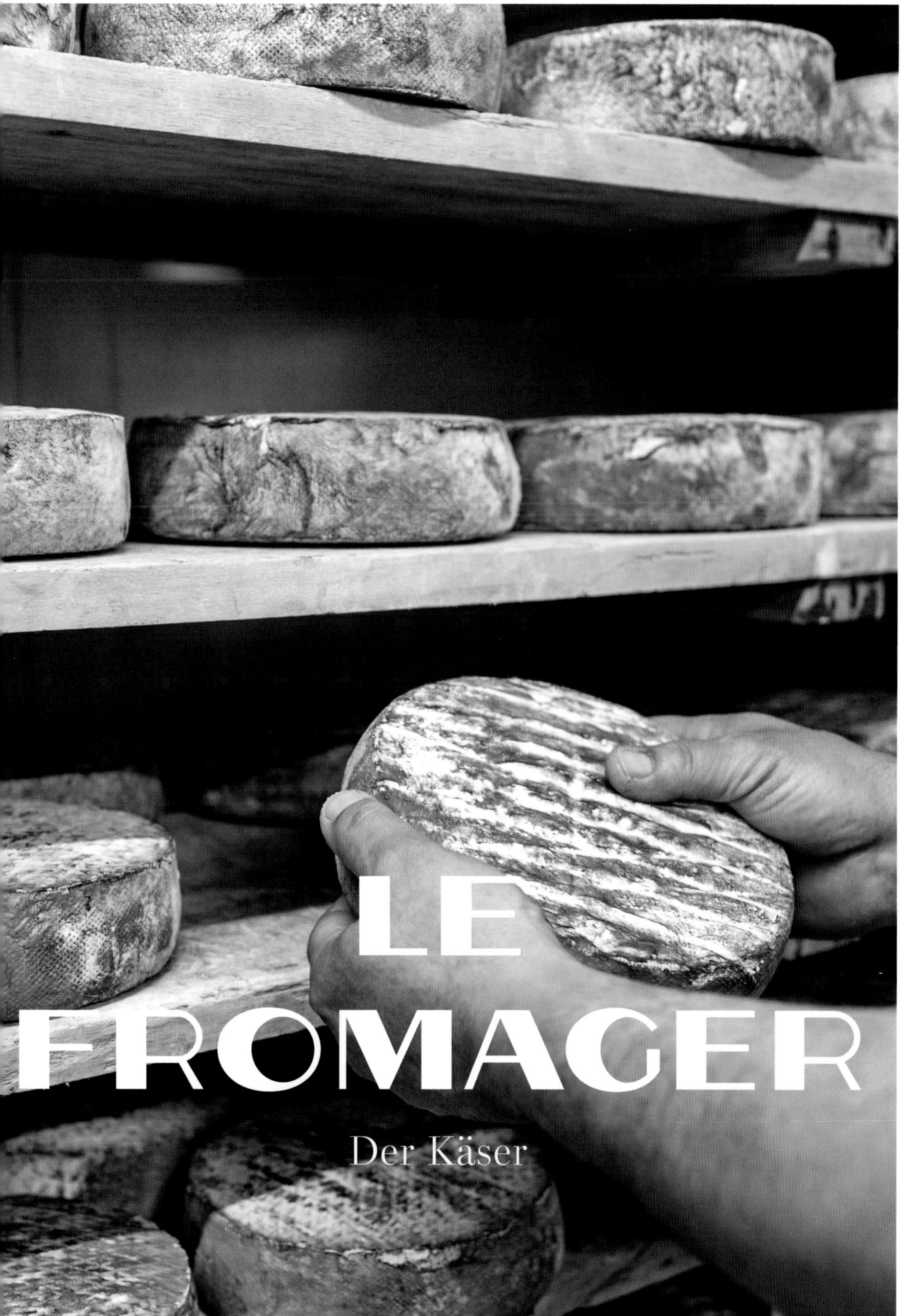

LE FROMAGER

Der Käser

LA
CHEVRETTE
pièce

Der Käser

De Gaulle stellte die berühmt gewordene Frage: »Wie soll man ein Volk regieren, das zweihundertsechsundfünfzig Käsesorten hat?« Er hätte Stéphane um Auskunft bitten sollen, der auf den Märkten entlang des Tals der Vézère einen Großteil dieser Sorten zum Verkauf anbietet. Und zu Hochzeiten oder anderen großen Festen arrangiert er auf einer riesigen Holztafel, ausgesägt in den Umrissen Frankreichs, Käse aus den verschiedenen Regionen an der jeweiligen Stelle des Bretts. Anhand solcher Tafeln könnte man in den Schulen Geographie unterrichten.

Es gibt drei verschiedene Arten von *fromagers*. Die meisten beziehen ihre Ware von Groß- oder Zwischenhändlern. Andere, und dazu zählt auch Stéphane, suchen kleine Käseproduzenten auf ihren Höfen in ganz Frankreich auf und kaufen bei ihnen die Sorten, die sie für die besten befinden. Das erfordert viel Zeit und Mühe, lohnt sich aber. Man kann zwar in Supermärkten bekommen, was sich Camembert nennt, aber meine Frau und ich kaufen den echten aus Isigny, dessen Inneres leicht golden glänzt, bei Stéphane. Zu ihm gehen wir auch, wenn uns der Sinn nach einem jungen, süß nach Rohmilch duftenden Cantal steht oder nach einem, der ausgereift ist und ein wenig kreidig schmeckt.

Manchmal wollen wir etwas Neues probieren. Aus Briefen Napoleons, die ich gelesen habe, ist zu erfahren, dass er den *Époisses de Bourgogne* (auch *Délice de Bourgogne* genannt) besonders schätzte, einen cremigen, pikanten Weichkäse aus teilentrahmter Kuhmilch. Er hat eine braune Rinde, die er einem mehrwöchigen Bad in *marc* verdankt, einem Tresterschnaps. Ob er diesen Käse für uns besorgen könne, fragten wir Stéphane. Er zeigte in eine Ecke seines Standes, und da lag er.

Als Drittes gibt es noch den *fromager*, der seinen Käse selbst herstellt, und zwar aus der Milch der Kühe, Schafe und Ziegen der Umgebung. In seiner kleinen *fromagerie* am Hügel hinter unserem Haus produziert Stéphane neben seinen *tommes* auch *fromage blanc* (frischen Quark) und *crème fraîche* sowie Joghurt und Butter. Wir kennen den Milchbauern, der unseren Freund beliefert, waren im Stall, als seine Kühe gemolken wurden, und haben die cremige Rohmilch gesehen, die Stéphane zu Delikatessen weiterverarbeitet. Uns ist bewusst, wie glücklich wir uns schätzen dürfen, ihn in der Nähe zu haben und an seinem Marktstand neue Käsesorten – zum Beispiel aus Savoyen oder den Landes – auf einer Messerspitze zum Probieren gereicht zu bekommen.

Die Herstellung von Ziegenkäse, wie er im Périgord geschätzt wird, überlässt Stéphane jedoch den Spezialisten. Er ist in runden Scheiben, in Würfeln, in rechteckiger oder zylindrischer Form zu haben, in Asche oder Kräutern gewälzt, mit Walnüssen bespickt oder in Weinlaub oder Stroh gewickelt. Am edelsten ist der *cabécou*. Seine runden Scheiben von der Größe eines Weinglasfußes und eineinhalb Zentimeter Dicke sind gerade richtig bemessen, um einen großen Champignon damit zu füllen und zu grillen. Sie sind erhältlich in den Qualitäten *sec* (trocken und mindestens einen Monat gereift), *demi-sec* (mindestens zehn Tage gereift) und frisch.

Meine Frau und ich können uns oft einfach nicht entscheiden, was uns am besten schmeckt, und kaufen darum meist zwei von jeder Sorte, grillen sie in Champignons oder auf Toast und träufeln etwas Honig von den Blüten der hiesigen Kastanien darüber. Dann will noch entschieden sein, was wir dazu trinken – einen süßen weißen Monbazillac, einen trockenen roten Pécharmant oder einen herben weißen Bergerac Sec – und ob es ein Baguette sein soll, das wir toasten, ein Roggenbrot *(pain de seigle)* oder eins dieser Landbrote *(pains de campagne)*, selbstgebacken oder vom Biobäcker auf dem Markt. Tja, wer die Wahl hat, hat die Qual.

PLATEAU DE FROMAGES

Käseplatte

Unter dem französischen Schutzsiegel *Appellation d'Origine Contrôlée* (AOC) werden Käseerzeugnisse in vier Kategorien eingeteilt, die sich auf ihre Herkunft beziehen. Der Name *fermier* kennzeichnet Käse, der von einem Bauern ausschließlich aus der Milch seiner eigenen Tiere hergestellt wird. Ähnliches trifft auf den sogenannten *artisanal*-Käse zu, mit der Ausnahme, dass zur eigenen Milch auch solche von anderen Höfen aus derselben Region hinzugekauft werden darf. Käse, der aus der Milch einer Kooperative, auf traditionelle regionale Weise und in relativ großen Mengen hergestellt wird, trägt die Kennzeichnung *coopératives*. Unter die vierte Kategorie – *industriel* – fallen Käseerzeugnisse, die in Massenproduktion und aus Milch aus vielen Quellen hergestellt werden. Fast alle Käsesorten, die mein Freund Stéphane verkauft, zählen zu den ersten beiden Kategorien. Er lässt sich aber auch von Kooperativen beliefern, denen er vertraut. Doch nach Möglichkeit bezieht er seinen Käse von einzelnen, ihm gut bekannten Milchbauern.

Stéphane war so freundlich und hat eigens für dieses Buch eine Käseplatte zusammengestellt:

Brie de Meaux
Dieser aus Kuhmilch hergestellte Käse gehört zu den bekanntesten in Frankreich und ist die vielleicht beste aller Brie-Variationen. Es heißt, schon Karl der Große, der ihn 774 in seinen Chroniken pries, sei von einem Bischof mit diesem Käse aus der Abtei Reuil-en-Brie bewirtet worden, und er habe ihm so gut geschmeckt, dass er jährlich zwei Karrenfuhren davon an seinen Aachener Hof geliefert haben wollte. Ohne diesen cremigen, herzhaften Brie mit weißer Rinde wäre keine Käseplatte vollständig. Es gibt nur eine Möglichkeit, ihn zu verbessern, nämlich indem man ihm 3–4 Scheiben einer schwarzen Périgord-Trüffel einverleibt und ihn einen Tag ruhen lässt. Allein der Duft, den er dann ausströmt, ist berauschend.

Beaufort
Dieser Käse kommt aus Savoyen, einer Region der französischen Alpen, und zählt zur Gruyère-Familie. Es gibt ihn in drei Varianten: als Sommer-Beaufort, als Winter-Beaufort und unter dem Namen *Alpage*. Die Milch, aus der er gemacht ist, stammt von Kühen, die auf Hochalmen weiden. Der Käse wird oft für ein Fondue verwendet, weil er leicht schmilzt und sich gut mit Weißwein verbindet. Gern nimmt man ihn auch als Basis einer Käsesauce zu Fisch.

Picodon
Dieser kleine Ziegenkäse kommt aus der Ardèche-Gegend – sie liegt vom Périgord aus gesehen jenseits des Zentralmassivs, wo das Hochland ins Rhonetal abfällt. Aber auch dort wird noch Okzitanisch gesprochen. *Picodon* heißt in dieser Mundart pikant. Frisch gegessen ist er weich und von angenehm homogener Konsistenz. Lässt man ihn drei Monate oder länger reifen, schrumpft er etwas zusammen und nimmt einen schärferen Geschmack an. Eine Unterart dieses Käses ist nach einem Dorf gleichen Namens *Dieulefit* (von Gott gemacht) benannt, wo man ihn nach der Herstellung in frischem Quellwasser wäscht und dann für einen Monat in Steinguttöpfen lagert.

Brie
de Meaux
Beaufort
Sainte-Maure
de Touraine
Saint-
Félicien
Camembert
Brebis des
Pyrénées
Bleu
d'Auvergne
Trou du
Cru
Tomme
d'Audrix
Sablé de
Wissant
Picodon

Camembert
Das wohl bekannteste und vielleicht beliebteste Käseerzeugnis Frankreichs in seiner kleinen runden Spanschachtel ist aus Kuhmilch gemacht und hat eine weiße Edelschimmelrinde. Weiß der Himmel, warum er immer noch so populär ist, denn ein Großteil dessen, was als Camembert verkauft wird, schmeckt wie leicht gesalzenes Löschpapier. Der echte AOC-*Camembert-de-Normandie* muss aus Rohmilch und auf traditionelle Weise hergestellt werden; der masenproduzierte Camembert hingegen besteht meist aus pasteurisierter Milch. Der Legende nach stammt die Rezeptur von Marie-Christine Harel, einer normannischen Bäuerin des späten 18. Jahrhunderts, der ein Priester aus Brie beratend zur Seite stand. Die Käser von Brie halten den Camembert darum natürlich für eine inferiore Kopie ihres großen Käses. In der Normandie dagegen heißt es, man habe die Fehler der Hersteller aus Brie korrigiert. Den eigentlichen Unterschied macht die Qualität der cremigen Milch aus, die den erstaunlich saftigen Weiden der Normandie zu verdanken ist, und die beste Milch kommt wohl aus Isigny-sur-Mer, wo auch eine überaus köstliche Butter hergestellt wird. Drei entscheidende Entwicklungen haben den Camembert zu der nationalen Ikone gemacht, die er heute ist. In den fünfziger Jahren des 19. Jahrhunderts wurde eine Eisenbahnstrecke von Paris in die Normandie gebaut, die den normannischen Bauern und Camembert-Produzenten einen riesigen neuen Markt eröffnete. Bis 1890 wurde der Käse in den Zügen auf Strohmatten gelagert und beim Transport häufig beschädigt. Im selben Jahr erfand ein Ingenieur namens Jules Carrel die runde Spanschachtel zum Schutz des Käses. Weil er in dieser Verpackung nunmehr leicht zu transportieren und zu lagern war, belieferte im Ersten Weltkrieg das französische Militär damit seine Truppen in den Schützengräben und verbreitete so den Ruhm des Camembert landesweit.

Tomme d'Audrix
Dies ist unser Hauskäse, erfunden und hergestellt von meinem Freund Stéphane Bounichou. Irgendwann wird bestimmt in der Ortschaft Audrix, in der er zu Hause ist, ein Standbild von ihm errichtet werden. Noch sind sein Marktstand und seine *fromagerie*, die er Fromagerie d'Audrix nennt, nur in unserem Teil des Périgord Noir bekannt, doch ihr Ruhm wird sich zweifellos verbreiten. Seine *tommes*, ungefähr 25 cm im Durchmesser, 7 cm hoch und mit einer grauen Rinde überzogen, sind wunderbar weich und köstlich und halten sich lange frisch. Sie schmecken auf einem Baguette, verkocht oder einfach auch so. Und unser Basset ist, wie wahrscheinlich alle Hunde, ganz verrückt auf die Rinde.

Saint-Félicien
Dieser leckere Käse kommt von der Isère beziehungsweise der Hügellandschaft westlich der von den Römern gegründeten Stadt Valence im Rhonetal. Ursprünglich aus Ziegenmilch, wird er heute auch aus Kuhmilch hergestellt. Der cremige, milde Käse schmeckt gut zu Brot mit einem Klecks Feigenkonfitüre und verrät eine deutliche Familienähnlichkeit mit dem besser bekannten *Saint-Marcellin*.

Bleu d'Auvergne
Dieser aus Kuhmilch hergestellte Blauschimmelkäse kommt, wie schon der Name sagt, aus der Auvergne, einer Region, die für den französischen Käse das ist, was Saint-Tropez für Oben-ohne-Strände darstellt. *Fourme d'Ambert*, *Cantal*, *Laguiole*, *Saint-Nectaire* und *Salers* – alle diese Käsesorten stammen aus diesem rauhen Hochland des Zentralmassivs rund um die Quellgebiete der Dordogne und der Vézère. Der *Bleu d'Auvergne* ist weniger kräftig als die meisten anderen Blauschimmelkäse wie zum Beispiel der *Roquefort*, weil ihm ein anderer Schimmelpilz zugesetzt wird. Während für den *Roquefort* das nach ihm benannte *penicillium roqueforti* verwendet wird, veredelt den *Bleu d'Auvergne* das *penicillium glaucum*, ein Pilz, der sich auf Roggenbrot bildet und seit den 1850er Jahren zur Käseherstellung genutzt wird. Er ist ein wohlschmeckender und vielseitiger Käse, der zu Salaten passt und sich auch gut über eine Pasta reiben lässt. Wir trinken dazu gern einen gekühlten Monbazillac.

Trou du Cru
Diese relativ junge Käsesorte wurde in den 1980er Jahren von Robert Berthaut entwickelt, wenn auch im klassischen Stil des traditionellen, von Napoleon so geschätzten *Époisses de Bourgogne*. Der *Trou du Cru* beweist, wie vorzüglich auch ein Käse sein kann, der aus pasteurisierter Milch hergestellt ist, was die meisten Experten als

Handikap betrachten. Zu seiner Qualität trägt wohl maßgeblich bei, dass er während der vierwöchigen Reifezeit zwei- bis dreimal in *Marc de Bourgogne* gewaschen wird, einem aus Trester destillierten Branntwein, der die köstliche orangefarbene Rinde entstehen lässt.

Sainte-Maure de Touraine

Dieser kleine, zylindrische graue Ziegenkäse, durch dessen Mitte ein Strohhalm verläuft, kommt aus dem Loire-Tal in der Nähe von Tours und trägt den Namen der historischen Provinz. Der Strohhalm dient nicht nur als Erkennungsmerkmal, sondern hilft bei der Herstellung auch, den Käse in Form zu bringen. Überdies trägt er das Schutzsiegel AOC und die Nummer des Herstellers. Ohne dieses Schutzsiegel auf dem Strohhalm ist der Käse kein echter *Sainte-Maure,* sondern eine massenproduzierte Kopie.

Brebis des Pyrénées

Dieser köstliche Weichkäse aus Schafsmilch ist eine der ältesten bekannten Varianten seiner Art. Archäologische Funde legen die Vermutung nahe, dass das Volk der Basken im Norden Spaniens und im Südwesten Frankreichs diesen Käse schon vor über dreitausend Jahren hergestellt hat. Der dem Duft nach täuschend milde, im Geschmack aber recht würzige Käse ist sehr anpassungsfähig und schmeckt unter anderem wunderbar zu frischen Äpfeln, zu Schinken oder Kirschenmarmelade. Er entwickelt eine natürliche Rinde, die golden-orange oder, wenn er in Asche gewälzt wird, grau sein kann. Der *brebis* zählt inzwischen zu unseren Favoriten, bleibt aber wohl eher eine Rarität, und zwar aus dem einfachen Grund, dass ein Schaf nur rund einen Liter Milch am Tag gibt, für ein Kilo Käse aber fünf Liter nötig sind. Der bekannteste *brebis* ist der *Ossau-Iraty*, neben dem *Roquefort* der einzige Schafskäse mit geschützter Herkunftsbezeichnung.

Sablé de Wissant

Dieser kräftige, fast aufdringliche Käse aus Rohmilch stammt aus dem Pas de Calais, wo Frankreich auf 35 Kilometer an England jenseits des Kanals heranreicht. Das Besondere an ihm ist der Umstand, dass er während der Reifung mehrmals in *Blanche de Wissant* gewaschen wird, einem vor Ort gebrauten Weißbier. Hergestellt wird er von zwei Brüdern, die ihre Milch von zwei Höfen beziehen und den Käselaiben eine quadratische Form von ca. 12 x 12 cm und einer Höhe von 5 cm geben. Statt Wein trinkt man zu diesem Käse natürlich Weißbier.

Gute Käser wie Stéphane sind in der Regel Milchbauern, die neben Käse auch Milch und Sahne, Joghurt und Butter oder andere Erzeugnisse verkaufen, wie den mit Knoblauch gewürzten *aillou* oder auch Reispudding. Stéphane bietet außerdem frische Eier an, daneben die berühmten Meyrales-Brote aus einer benachbarten Ortschaft, Honig und ein paar ausgesuchte Weinessigsorten. Als unsere Hennen einmal besonders legefreudig waren, haben wir ihn gefragt, ob er nicht auch einen Teil unserer Eier auf dem Markt verkaufen wolle. »Tut mir leid, ich würde ja gern, aber es wäre gegen die Vorschriften«, antwortete er. »Die EU verbietet den Verkauf der Eier von Hühnern, die mit einem Hahn zusammenleben, denn diese Eier könnten befruchtet sein.« Mit anderen Worten: Die meisten Europäer essen Eier von sexuell frustrierten Hühnern. Vielleicht liegt darin auch ein Grund dafür, dass die Europäische Union in Frankreich heute so unbeliebt ist wie nie zuvor.

AILLOU

Knoblauch-Dip

FÜR 4 PERSONEN

- 100 g *crème fraîche* oder *fromage blanc*
- 6 Knoblauchzehen, geschält, fein gehackt
- 1 EL Olivenöl
- 10 g Schnittlauch, gehackt
- Salz
- Pfeffer aus der Mühle
- 20 ml Milch (optional)

Die *light*-Version dieses Knoblauch-Dips verzichtet auf Öl und *crème fraîche*:

- 250 ml Naturjoghurt
- Salz zum Abschmecken
- 1 große Knoblauchzehe, fein gehackt oder gepresst
- Schnittlauch, Petersilie, Minze und/oder andere Kräuter nach Wahl, fein gehackt

Crème fraîche oder *fromage blanc* mit dem Knoblauch und dem Olivenöl gut vermischen und mit Schnittlauch, Salz und Pfeffer abschmecken.

Mit etwas Milch verdünnt eignet sich diese Käsezubereitung besonders gut als Dip für *beignets de courgettes* (Rezept S. 163).

Ein Sieb mit einem dünnem Geschirrtuch (ev. auch Küchenpapier) auslegen. Joghurt darauf gießen und 1 Std. lang abtropfen lassen. Joghurt in eine Schale geben und mit einer Gabel glattziehen. Salzen, Knoblauch und Kräuter unterrühren. Wenn nötig vom aufgefangenen Abtropfwasser vorsichtig so viel zugießen, dass eine geschmeidige Masse entsteht.

BEIGNETS DE COURGETTES À L'AILLOU

Zucchini-Krapfen mit Knoblauch-Dip

FÜR 4 PERSONEN

- 200 g Mehl
- 100 ml Wasser
- 2 Eigelbe
- pro Person 1 große Zucchini, in 6 mm dicke Längsscheiben, sowie 2 mittelgroße Zucchini, in ebenso dicke Rädchen geschnitten
- ½ EL Erdnuss- (oder ein anderes Frittier-) Öl
- ½ TL Salz
- *aillou* (Knoblauch-Dip, Rezept S. 160)

Wir beziehen unseren *aillou*, einen mit Kräutern gewürzten Frischkäse oder Quark, von unserem Freund Stéphane, der auf dem Markt von Saint-Denis *aillou* aus eigener Herstellung anbietet.

Die Mengen für dieses *amuse-bouche*, das man zu einem abendlichen Glas Wein servieren kann, ergeben sich aus der Anzahl der zu bewirtenden Gäste, die – jedenfalls bei Bruno – so viel davon in sich hineinschlingen, wie er bereit ist zu servieren.

Für den Backteig Mehl in eine große Rührschüssel geben. Wasser langsam zugießen. Dabei mit einer Gabel aufschlagen und glattziehen. Der Teig muss dabei recht flüssig werden, damit das Gemüse eingetaucht werden kann. Eigelbe und Salz hinzufügen. Zucchinischeiben bzw. -rädchen eintauchen. Frittieröl in einem Wok oder einer tiefen Kasserolle erhitzen. Jeweils nur wenige Zucchinischeiben oder -rädchen aufs Mal darin auf beiden Seiten goldgelb zu Krapfen ausbacken. Herausnehmen und auf Haushaltpapier abtropfen lassen.

Zucchini-Krapfen salzen und mit dem *aillou* sofort servieren.

TARTE AUX TOMATES AVEC CANTAL FAÇON ‚BARON'

Tomatentarte mit Cantal nach Art des ›Barons‹

FÜR 6 PERSONEN
FÜR EINE TARTEFORM
VON Ø 28 CM

- Brunos *croustade*-Teig (Rezept siehe *Brunos Küchennotizen*, S. 293) oder, wenn's schnell gehen soll, ein fertiger Mürbeteig
- 100 g weiße Bohnen zum Blindbacken
- 1 EL Senf, wenn möglich Dijon oder Maille
- 75 g Cantal (oder ein milder Gruyère oder Emmentaler), grob gerieben
- 5–6 große Tomaten, in dünne, runde Scheiben geschnitten
- Salz
- Pfeffer aus der Mühle
- Olivenöl
- 1 Handvoll Basilikumblätter, grob gerupft (optional)

Ofen auf 220° C (Umluft 200° C, Gas Stufe 4) vorheizen. Tarteform einfetten, mit dem ausgerollten Teig locker auskleiden, Überhang nicht abschneiden. Teig mit Gabel mehrfach einstechen, mit einem auf 28 cm Ø kreisrund ausgeschnittenen Stück Backpapier bedecken, dicht mit Trockenbohnen belegen und im Ofen 15 Min. blindbacken (dazu siehe *Brunos Küchennotizen*, S. 293).

Aus dem Ofen nehmen, Bohnen und Backpapier entfernen und noch einmal 3–5 Min. weiterbacken, damit der Teig schön kross wird. Erneut aus dem Ofen nehmen, mit einem scharfen Messer Teigüberhang abschneiden und den Tarteboden ganz dünn mit Hilfe eines Pinsels oder eines Löffelrückens mit Senf bestreichen, anschließend gleichmässig mit Käse bestreuen. Tarte für 1–2 Min. kurz in den Ofen zurückschieben, so dass der Käse schmelzen und den Tarteboden versiegeln kann. Auskühlen lassen. Tarteboden spiralförmig ziegelartig von außen nach innen mit den Tomatenscheiben belegen. Mit Salz und Pfeffer würzen und mit Olivenöl beträufeln. Erneut in den Ofen zurückgeben und 20–25 Min. backen, bis die Tomaten zu karamellisieren beginnen.

Auf Raumtemperatur abkühlen und vor dem Servieren nach Belieben mit etwas Basilikum bestreuen.

TARTE TATIN AUX OIGNONS ROUGES ET AU FROMAGE DE CHÈVRE

Tarte Tatin mit roten Zwiebeln und Ziegenkäse

FÜR 4 PERSONEN
FÜR EINEN RUNDEN, NIEDRIGEN BRÄTER MIT DECKEL, Ø CA. 30 CM

- 50 g Butter
- 2 EL Öl
- 20 g Zucker
- 5–6 große rote Zwiebeln, geschält, halbiert
- 1 EL Balsamico-Essig
- Salz
- Pfeffer aus der Mühle
- Blättchen von 6 frischen Thymianzweigen
- 250 g *croustade*-Teig, siehe *Brunos Küchennotizen*, S. 293)
- 100 g frischer fester Ziegenkäse (zum Beispiel Chavroux), zerkrümelt, zum Bestreuen

Backofen auf 170° C (Umluft 150° C, Gas Stufe 1–2) vorheizen. Im Bräter bei geringer Hitze Butter im Öl zerlassen. Wenn das Fett zischt, Zucker einrühren. Zwiebelhälften mit den Schnittseiten nach unten in das heiße Fett legen. Bleiben dabei Lücken, eine der Hälften in Viertel oder Achtel schneiden und diese damit füllen. Bei geschlossenem Deckel 10–15 Min. karamellisieren lassen. Deckel abnehmen und Zwiebeln mit dem Essig beträufeln. Mit Salz, Pfeffer und Thymian würzen.

Ofentemperatur auf 200° C (Umluft 180° C, Gas Stufe 3) erhöhen. Bräterdeckel wieder auflegen und den Bräter für ca. 45 Min. in den Ofen stellen (nach 30 Min. Garprobe machen!). Falls sich im Bräter Flüssigkeit gebildet hat, diese bei mittlerer Temperatur reduzieren, bis sie eine sirupartige Konsistenz hat.

Croustade-Teig zu einem runden Fladen von Ø 40 cm ausrollen, auf die Zwiebeln legen, am Rand leicht festdrücken und mit einer Gabel mehrfach einstechen, damit der Dampf entweichen kann. Den Bräter mit dem Teigdeckel auf der mittleren Einschubleiste des Ofens 30–45 Min. backen, bis der Teig goldbraun und knusprig ist. Herausnehmen, 15 Min. abkühlen lassen, dann mit einem Messer den Rand von der Topfwand lösen. Einen Servierteller auf die Kasserolle legen und die Tarte stürzen, so dass sie mit den Zwiebeln nach oben auf dem Teller zu liegen kommt.

Ziegenkäsekrümel über die Tarte streuen und servieren.

Brunos Tipp: Dazu passt Rucola-Salat mit Senf-Vinaigrette.

CHAMPIGNONS FOURRÉS DE FROMAGE DE CHÈVRE

Champignons, gefüllt mit Ziegenfrischkäse

FÜR 4 PERSONEN

- 4 große Champignons
- 25 g weiche Butter
- Salz
- Pfeffer aus der Mühle
- 100 g Ziegenfrischkäse, z. B. *cabécou*
- 4 Knoblauchzehen, gepresst (1 Zehe pro Champignon)
- Cayennepfeffer
- 6 Walnüsse, davon 4 gehackt, 2 in Hälften zerteilt

Verwendet werden weiße Champignons, die groß genug für die Käsefüllung sind. Steinpilze wären nicht nur besser, sondern ganz besonders gut geeignet für dieses Gericht. Ziegenkäse und Pilze gehen eine wunderbare Verbindung ein.

Champignons putzen und Stiele vorsichtig herausdrehen. Das Innere der Köpfe mit Butter überpinseln. Salzen und pfeffern und mit der Innenseite nach oben maximal 5 Min. unter den Grill legen – nicht zu dicht unter den Heizstäben, damit die Champignons nicht anbrennen. Ziegenfrischkäse mit dem Knoblauch vermengen und in die Champignons füllen. Gefüllte Champignons unter den Grill legen, bis der Käse nach ca. 5 Min. zu schmelzen anfängt. Mit dem Cayennepfeffer bestäuben. Mit je einer gehackten Walnuss bestreuen und je einer Walnusshälfte garnieren.

Brunos Tipp: Auf grünem Salat oder mit je einer Scheibe geröstetem *pain de campagne* (Rezept S. 186) oder *pain artisanal* (Rezept S. 189) servieren.

GRATIN DE LÉGUMES D'ÉTÉ AU FROMAGE DE CHÈVRE

Sommerliches Gemüsegratin mit Ziegenkäse

FÜR 4 PERSONEN
FÜR EINE FLACHE RUNDE QUICHEFORM, Ø 25 CM

- 7 EL Olivenöl
- 2 mittelgroße rote Zwiebeln, geschält und in dünne Scheiben geschnitten
- 1 kg Tomaten, entkernt und in feine Scheiben geschnitten
- 750 g grüne Zucchini, in schräge ½ cm dicke Scheiben geschnitten
- 750 g gelbe Zucchini, in schräge ½ cm dicke Scheiben geschnitten
- 2 EL Blätter frischen Thymians
- ½ TL Salz
- 150 g mittelfester sehr trockener Ziegenkäse oder *cabécou*, fein zerkrümelt

Ofen auf 180° C (Umluft 160° C, Gas Stufe 2) vorheizen. 5 EL Olivenöl in einer mittelgroßen Pfanne bei mittlerer Temperatur erhitzen. Zwiebeln darin unter ständigem Rühren 20 Min. goldbraun anbraten. Zwiebeln gleichmäßig auf dem Boden der Quicheform verteilen und abkühlen lassen. In eine ausreichend große Schale grüne und gelbe Zucchinischeiben geben und mit 2 EL Olivenöl, Thymian und Salz vermengen. Tomatenscheiben ziegelartig auf den Zwiebeln verteilen. Mit etwas Ziegenkäse bestreuen.

Nun ebenso die grünen Zucchinischeiben verteilen, mit Ziegenkäse bestreuen und mit den gelben Zucchinischeiben belegen. Auf diese Weise fortfahren, bis alles Gemüse verteilt ist. Zum Schluss noch einmal mit Ziegenkäse bestreuen. Mit dem restlichen Olivenöl beträufeln und 40–50 Min. backen.

Das Gericht sollte nicht heiß, sondern zimmerwarm mit einem knusprigen Baguette serviert werden.

GRATIN DE POIREAUX AU FROMAGE

Lauchgratin, mit Speck und Käse überbacken

FÜR 4 PERSONEN
FÜR EIN FEUERFESTES GESCHIRR

- 40 g Butter
- 8 Schalotten, geschält und klein gehackt
- 4 große Lauchstangen, ohne die äußeren Blätter und das dunklere Grün, in feine Ringe geschnitten
- 5 Zweige frischer Thymian
- 150 ml Weißwein
- 10 EL Schlagsahne
- Salz
- Pfeffer aus der Mühle
- 120 g Räucherspeck, in kleine Würfel geschnitten
- 250 g Käse, gerieben – Cantal, Comté oder etwas Vergleichbares wie Emmentaler, ein junger Gruyère oder Raclette

Ofen auf 180° C (Umluft 160° C, Gas Stufe 2) vorheizen. Butter in einer Pfanne zerlassen und vorsichtig Schalotten, Lauch und Thymian 5–10 Min. darin anbraten. Wein zugießen und 5 Min. köcheln lassen. Sahne unterrühren, mit Salz und Pfeffer abschmecken und weitere 5 Min. köcheln lassen. In ein feuerfestes Geschirr umfüllen und abkühlen lassen.

Speckwürfel in eine heiße Bratpfanne geben und wenden, bis sich das Fett aufgelöst hat und die Stücke knusprig angebraten sind. Auf Küchenpapier abtropfen lassen und zur Sahne-Lauch-Mischung geben, bevor sie mit dem geriebenen Käse bestreut wird und in den Backofen kommt. Mit der Beigabe von Speck ist dieses Gericht eine volle Mahlzeit, die mit grünem Salat serviert werden kann.

Sahne-Lauch-Mischung mit geriebenem Käse bestreut 20–30 Min. backen, bis der Käse Blasen bildet und anbräunt.

Brunos Tipp: Ohne Speckwürfel eignet sich dieses Gratin hervorragend als vegetarische Mahlzeit.

QUICHE PÉRIGOURDINE

Quiche nach Art des Périgord

FÜR EINE EINGEFETTETE RUNDE AUFLAUFFORM, Ø 28 CM

- *croustade*-Teig (siehe *Brunos Küchennotizen*, S. 293)
- 6 Eier
- 220 g *crème fraîche*
- Pfeffer aus der Mühle
- 1 großes Bund glatte Petersilie, nur die Blätter, grob gehackt
- 1 Knoblauchzehe, fein gehackt
- 85 g Comté-Käse, gerieben
- Salz
- 1 Keule und 1 Brust vom (gekochten) *confit de canard* (siehe Rezept S. 119), Keule entbeint, Entenfleisch gehäutet und alles mit einer Gabel zerkleinert
- 6 *gésiers* (eingelegte Geflügelmägen, siehe *Brunos Küchennotizen*, S. 296)

Ofen auf 220° C (Umluft 200° C, Gas Stufe 3) vorheizen. Auflaufform mit Backpapier auslegen, *croustade*-Teig in die Auflaufform einpassen, überstehenden Rand abschneiden und Boden wie Rand mit einer Gabel mehrfach einstechen. 5 Eier mit der *crème fraîche* verrühren und mit Pfeffer abschmecken. Petersilie und Knoblauch zugeben. Alles gut miteinander vermischen. Käse hinzufügen. Salzen. Ei-Mischung in die Teigform geben, Fleischstücke darauf verteilen. Den Teigrand mit dem geschlagenen 6. Ei bestreichen. Im Ofen auf der unteren Schiene 20 Min. backen, dann die Hitze auf 180° C (Umluft 160° C, Gas Stufe 2) herunterdrehen und weitere 10 Min. backen. Mit Aluminiumfolie abdecken, wenn der Rand braun zu werden anfängt.

Quiche eine Weile ruhen lassen, bevor sie aufgeschnitten wird.

Brunos Tipp: Wenn kein *confit de canard* erhältlich ist, frische Entenbrust oder -keule zusammen mit den *gésiers* in Entenfett garbraten.

CABÉCOU AU MIEL

Cabécou-Ziegenkäse mit Honig

PRO PERSON

- 1 *cabécou* (45%-fetter Ziegenkäse)
- 1 EL klarer Honig
- Pflanzenöl und Butter zum Braten
- 1 Scheibe *pain de campagne* (Rezept S. 186) oder *pain artisanal* (Rezept S. 189), geröstet
- 1 Handvoll Walnüsse, im Mörser oder im Mixer zu Böseln zermahlen (optional)

Öl und Butter in einer Bratpfanne bei mittlerer Temperatur erhitzen und *cabécou* auf beiden Seiten anbraten, bis er ein wenig zu laufen beginnt. *Cabécou* vorsichtig aus der Pfanne heben und auf einer Scheibe geröstetem *pain de campagne* oder *pain artisanal* anrichten.

Mit 1 EL Honig beträufeln und sofort servieren.

Brunos Tipp: Zusätzlich mit Walnusskrumen bestreut, schmeckt der *cabécou* besonders lecker.

MOUSSE AU YAOURT ET COULIS DE FRAISES

Joghurt-Mousse mit Erdbeer-Coulis

FÜR 10 PERSONEN
- 900 g Naturjoghurt
- 5 EL Zucker
- 3 Eiweiße, geschlagen

Erdbeer-Coulis
- 500 g Erdbeeren, gewaschen, entstielt, püriert
- 50 g Zucker
- Saft von 1 Zitrone

Dieses Dessert ist bei Brunos weiblichen Gästen sehr beliebt, da es üppig wirkt, aber ohne die sonst dazugehörigen Kalorien. Und die männlichen Gäste erraten nie, dass es aus Joghurt gemacht ist.

Joghurt in einem mit einem dünnen Küchentuch oder mit Küchenpapier ausgelegten Sieb in einer Schüssel mehrere Std. im Kühlschrank abtropfen lassen. Zucker unter den Joghurt schlagen. Eischnee unterheben. In Souffléförmchen oder hübsche Gläser füllen und mit *coulis de fraises* garnieren.

Erdbeer-Coulis
Erdbeeren mit einem Stabmixer pürieren. Zucker und Zitronensaft zugeben und noch einmal durchmixen. *Coulis* durch ein Sieb streichen, um die Samenkörnchen zurückzuhalten. Bis zum Servieren kühl stellen.

Brunos Tipp: Erdbeer-Coulis sollte möglichst bald nach der Zubereitung gegessen werden. Zitronensaft verstärkt für gewöhnlich den Geschmack von Erdbeergerichten.

MOELLEUX AU CARAMEL

Warme Karamellküchlein mit flüssigem Kern

FÜR 4 PERSONEN
FÜR EIN MUFFINBLECH UND EINEN TOPF MIT SCHWEREM BODEN

- 10 g Butter zum Einfetten
- 140 g Mehl und 10 g zum Bemehlen
- 150 g Zucker
- 100 g gesalzene Butter, gewürfelt
- 6 EL Sahne
- 4 Eier, verquirlt
- 25 ml Sahne (optional)

Ofen auf 180° C (Umluft 160° C, Gas Stufe 2) vorheizen. Muffinblech mit Butter einfetten und mit Mehl bestäuben. Im Topf Zucker in 1 EL kaltem Wasser karamellisieren. Hat der Zucker eine fast bernsteinfarbene Färbung angenommen, Butterwürfel und Sahne zugeben. Bei mittlerer Hitze rühren, bis die Butter geschmolzen ist. Vom Herd nehmen und abkühlen lassen. Ein Ei nach dem anderen unterschlagen, Mehl durch ein Sieb zugeben und gründlich einrühren.

Muffinformen zu drei Vierteln füllen. Auf mittlerer Schiene 7–8 Min. backen, bis der Teig karamellfarben ist und die ganze Vertiefung füllt. Karamellküchlein vorsichtig mit der Spitze eines Messers aus der Form nehmen und auf einzelnen Tellern anrichten. Einen kleinen Krug Sahne dazu reichen.

CRÈME ANGLAISE

Vanillecreme

FÜR 4 PERSONEN

- 450 ml Sahne oder *crème double*
- 6 Eigelbe
- 50 g Zucker
- 10 ml Vanilleextrakt

Für die konventionellere Zubereitung

- 250 ml *crème double*
- 4 Eigelbe
- 60 g Zucker
- 10 ml Vanilleextrakt

Bruno ist zwar skeptisch, was Mikrowellengeräte in der Küche angeht, gibt aber gern zu, dass Pamelas Verwendung eines solchen zur schnellen Zubereitung einer *crème anglaise* durchaus zweckmäßig ist. In 6 ½ Min. verwandelt sie ein trockenes Stück Kuchen oder einen einfachen Früchtekompott in ein köstliches Dessert für unerwartete Gäste.

Sahne oder *crème double* 3 Min. in der Mikrowelle bei 850 W erhitzen. In einer geeigneten Schüssel die Eigelbe mit dem Zucker schaumig rühren. Sahne oder *crème double* hinzugeben. Für weitere 2 Min. in der Mikrowelle, wieder bei 850 W, erhitzen. Was dabei entsteht, sieht ähnlich aus wie ein Rührei. Sofort nach dem Herausnehmen mit einem Handmixer oder Schneebesen mindestens 30 Sek. lang gründlich glattrühren. Für 1 Min. zurück in die Mikrowelle stellen. Erneut sofort nach dem Herausnehmen mit einem Handmixer oder Schneebesen mindestens 1 Min. lang glattrühren. Dann Vanilleextrakt unterrühren, durch ein feines Sieb in eine saubere Schüssel streichen und darin abkühlen lassen.

Vor dem Servieren noch einmal gut umrühren.

Für eine konventionellere Zubereitung

Crème double in einem kleinen Topf mit schwerem Boden erhitzen, bis sich am Rand Blasen bilden. Vom Herd nehmen. Zwischenzeitlich in einer feuerfesten Schüssel Eigelbe und Zucker schaumig rühren. Vorsichtig und unter ständigem Rühren eine Tasse voll der heißen *crème double* zu der Eigelb-Zucker-Masse geben, diese dann nach und nach und unter ständigem Rühren zur heißen *crème double* geben. In den sauber gespülten Topf zurückgeben und auf niedrigster Stufe so lange rühren, bis die Sauce so fest ist, dass sie die Rückseite eines Holzlöffels mit einem dünnen Film überzieht. Vom Herd nehmen und durch ein feines Sieb in eine Schüssel streichen und auskühlen lassen.

LE BOULANGER

Der Bäcker

100g sucre
130g cacao
100g poudre lait
30g Maïzena.

Der Bäcker

In unserem Zweitausendseelendorf (die ganze Gemeinde hat gerade mal knapp 3000 Einwohner) gibt es fünf Bäckereien, nicht eingerechnet die des Supermarktes. An Markttagen kommen außerdem noch Biobäcker aus der Umgebung und verkaufen Brote, deren Mehl aus biologisch angebautem Getreide auf alten Mühlsteinen gemahlen wurde.

Die Touristen aus den Ferienwohnungen und von den Campingplätzen sind mit ein Grund dafür, weshalb sich diese vielen Bäcker bei uns behaupten können. Sie alle bieten die üblichen Baguettes und sehr viel größere Brote an, dazu natürlich Croissants und Schokocroissants *(pain au chocolat)*, meist gibt es auch die kleine runde *boule* und die *tourte*, die so groß wie ein Autoreifen ist. Und das Angebot wird immer größer.

Der eine spezialisiert sich auf *pâtisserie*, auf Pralinen aus eigener Herstellung oder aufwendige Sahne- oder Obsttorten, kunstvoll verziert mit abstrakten Gebilden aus gesponnenen Zuckerfäden, die in Frankreich besonders gut ankommen und anscheinend in fast jeder Familie sonntags den Kaffeetisch krönen. Der andere lockt Kundschaft mit exotischen Brotsorten, versetzt mit Schinken- oder Speckwürfelchen *(lardons)*, Oliven, Nüssen oder Früchten. Der Dritte bietet ungesäuerte Brote nach maurischer Art und Sandwiches. Der vierte Bäcker schwört auf traditionelle Landbrote aus Roggen und Gerste, geschrotetem Getreide und braunem Mehl, dazu seltsam geformte Backwaren, die aussehen wie ineinander verschlungene Hasenohren.

Die fünfte Bäckerei wird von allen Le Moulin genannt wegen der feststehenden Windmühlenarme über dem Ladenlokal. Vom Verkaufsraum aus kann man durch einen großen Wanddurchbruch in die Backstube blicken, aus der die Brote ofenwarm in die Auslage kommen. Manchmal sind sie noch so heiß, dass wir sie auf dem Weg zum Auto von einer Hand in die andere jonglieren müssen. Weil Le Moulin die einzige Bäckerei mit einer Parkmöglichkeit vor dem Laden ist und die meisten der oben genannten Brote im Angebot hat, bekommt sie besonders viel Zulauf. Vielleicht liegt es aber auch an einer der Verkäuferinnen, die einem bekannten französischen Filmstar so ähnlich sieht, dass sie für uns Juliette Brioche heißt.

Alle Bäckereien aber können sich dank der treuen Kunden behaupten, die mit Leidenschaft die jeweiligen Vorzüge der verschiedenen Baguettes oder Croissants hervorheben und anscheinend genau wissen, wie viel Butter verarbeitet wurde, was das Einzigartige an diesem Milchweißbrot *(pain viennois)* gegenüber einem anderen ist oder wie hoch beim *pain de son* der Anteil an verdauungsfördernder Weizenkleie ist.

Ein bestimmter Artikel, der in Supermärkten angeboten wird, bringt für uns den Wandel Frankreichs während der vergangenen fünfzehn Jahre gewissermaßen auf den Punkt: das in dreieckige Kunststoffhüllen eingepackte Fertigsandwich aus geschnittenem Brot, belegt mit Schinken, Käse, Thunfisch oder von allem etwas. Als Sandwich galt in Frankreich früher immer nur ein frisches Baguette mit Käse-Schinken-Belag. Aber weil heute so viele Frauen berufstätig sind und so viele Männer den halben Tag im Auto verbringen, scheint mit einem chemisch konservierten Sandwich die ewige Frage nach dem Mittagessen auf einfache Weise gelöst zu sein.

In Saint-Denis trotzen Bruno und seine Freunde solchen Folgen der Globalisierung, und wenn sie manchmal, meist sonntags beim Rugbyspiel, ein Sandwich essen, besteht es aus einem Baguette mit einer heißen Wurst zwischen den Brothälften, und dazu trinken sie ein Bier. Als Erster langt dann für gewöhnlich Olivier zu, der seit zwanzig Jahren jede Nacht um drei Uhr aufsteht, um Croissants und Brot für das Hauptcafé am Ort zu backen und den Lehrlingen sein Zauberhandwerk beizubringen. Im Périgord zumindest werden unsere Croissants noch mindestens eine weitere Generation überdauern.

PAIN DE CAMPAGNE

Französisches Landbrot

FÜR 4 PERSONEN
FÜR EIN BACKBLECH

Für den Vorteig
- 5 g frische Hefe (wenn Trockenhefe verwendet werden soll, reicht die halbe Menge)
- 150 ml kaltes Wasser
- 100 g Weizenmehl (550er oder 1050er)
- 100 g Roggenmehl

Für den Hauptteig
- 700 ml Leitungswasser
- 950 g Weizenmehl (plus 1–2 EL zum Bestäuben)
- 130 g Roggenmehl
- 1 EL Meersalz, feinkörnig
- 20 g frische Hefe
- 50 ml kochendes Wasser (optional)

Für den Vorteig Hefe im Wasser auflösen. Weizen- und Roggenmehl in eine Rührschüssel sieben und gut miteinander vermischen. Die in Wasser aufgelöste Hefe zum Mehl geben und beides zu einem festen Teig verkneten. Schüssel mit einem feuchten Tuch abdecken und bei Zimmertemperatur mindestens 3 Std. reifen lassen. Backblech mit Backpapier auslegen.

Für den Hauptteig Wasser zum Vorteig geben und einrühren. Weizen- und Roggenmehl in die Schüssel geben sowie die Hefe und das Salz, wobei darauf zu achten ist, dass beides nicht unmittelbar miteinander in Kontakt kommt, da sonst die Hefepilze absterben. Mit dem Knethaken der Küchenmaschine bei niedrigster Geschwindigkeit alle Zutaten miteinander vermengen, bis nach ca. 5 Min. das Wasser vom Mehl absorbiert ist. Den am Rand der Rührschüssel und am Knethaken haftenden Teig abschaben, dann bei mittlerer Geschwindigkeit weitere 5–7 Min. kneten, bis der Teig geschmeidig und elastisch ist. Den Teig in der Schüssel zu einer Kugel formen und die Schüssel mit Frischhaltefolie versiegeln. 1½ Std. bei Raumtemperatur reifen lassen. Das Teigvolumen wird sich verdoppeln. Den Teig auf eine mit Mehl bestäubte Oberfläche legen, in vier gleich große Teile aufschneiden und nach Belieben formen. Auf dem mit Backpapier ausgelegten Backblech verteilen, mit Frischhaltefolie lose abdecken und weitere 1½ Std. gehenlassen. Ofen auf 250° C (Umluft 230° C, Gas Stufe 5–6) bzw. höchstmöglicher Temperatur vorheizen. Backblech auf der mittleren Schiene sowie einen Bräter auf dem Ofenboden vorheizen. Brotlaibe mit Mehl bestäuben, mit einem Messer der Länge nach einschneiden und vom Backpapier auf das vorgeheizte Backblech gleiten lassen. Laibe 15 Min. backen, dann Temperatur auf 220° C (Umluft 200° C, Gas Stufe 4) herunterdrehen und für weitere 10 Min. im Ofen lassen, bis sie goldbraun und durchgebacken sind. Garprobe: Mit dem Fingerknöchel auf die Unterseite eines der Brote klopfen; klingt es hohl, ist es fertig. Brote aus dem Ofen holen und auf einem Rost abkühlen lassen.

Brunos Tipp: Wer eine besonders knusprige Kruste haben will, kann auch einen mit heißem Wasser gefüllten Bräter mit in den Ofen stellen.

PAIN ARTISANAL

Brot und Brötchen nach alter Bäckerskunst

FÜR 4 PERSONEN
FÜR EIN BACKBLECH

- 300 g Weizenmehl (plus Mehl zum Bestäuben)
- 10 g Trockenhefe
- ½ EL Meersalz
- 280–350 ml lauwarmes Wasser (für einen lockeren Teig)
- 50 ml kochendes Wasser (optional)

In einer großen Schüssel Mehl, Hefe und Salz mischen. Mit einem Holzlöffel, Schneebesen oder in der Küchenmaschine mit Knethaken das lauwarme Wasser einrühren, gerade so viel, dass der Teig nicht zu fest wird und feucht bleibt. Mit einem Geschirrtuch abdecken und ungefähr 2 Std. bei Zimmertemperatur reifen lassen, bis der aufgegangene Teig wieder einfällt. Über Nacht in den Kühlschrank stellen. Zur Weiterverarbeitung sollte er wieder Zimmertemperatur angenommen haben. Backblech mit Backpapier auslegen. Darauf Teig in die gewünschte Form bringen, zum Beispiel in die kleiner Brötchen. Mit Mehl bestäuben und bei Zimmertemperatur mindestens 1 Std. weiter aufgehen lassen. Ofen auf 250° C (Umluft 230° C, Gas Stufe 5–6) vorheizen bzw. auf die höchstmögliche Temperatur. Den Brotlaib oder die Brötchen mit Mehl bestäuben und mit einem gezahnten Messer auf der Oberseite einschneiden.

Das Backblech in den Ofen schieben. Brotlaib 30–35 Min. backen, Brötchen 15–20 Min. Die Kruste sollte goldbraun sein und das Brot hohl klingen, wenn man mit dem Fingerknöchel auf die Unterseite klopft. Auf einem Kuchengitter abkühlen lassen.

Brunos Tipp: Eine Handvoll grob gehackter Walnüsse verleiht diesem Brot das gewisse Périgord-Flair. Wer eine besonders knusprige Kruste haben will, kann auch einen mit heißem Wasser gefüllten Bräter mit in den Ofen schieben.

BÂTONNETS DE FROMAGE

Käsestangen

FÜR 4 PERSONEN
FÜR 2 BACKBLECHE

- 175 g Mehl, gesiebt
- 90 g Butter, in Würfeln
- 175 g kräftiger Käse, z.B. Cantal oder Gruyère, gerieben
- 1 Eigelb
- 4 EL Wasser
- Salz
- Pfeffer aus der Mühle
- 50 g grob gehackte Haselnüsse (optional)

Backbleche mit Backpapier belegen. Ofen auf 200° C (Umluft 180° C, Gas Stufe 3) vorheizen. In einer großen Schüssel Mehl, Butterwürfel und Käse mischen. Eigelb mit dem Wasser verrühren und zugeben. Mit Salz und Pfeffer würzen. Zu einem festen Teig kneten, der dann ca. 1 cm dick und 15 cm breit rechteckig ausgerollt wird. Wenn gewünscht, die gehackten Haselnüsse darauf verteilen und leicht andrücken. Den Teig in 1 cm breite Streifen schneiden und auf die Backbleche legen; falls Reste übrigbleiben, diese neu ausrollen und wiederum in Streifen schneiden. 10–15 Min. goldbraun backen.

Aus dem Ofen nehmen und weitere 5 Min. auf den Backblechen ruhen lassen. Dann auf ein Kuchengitter legen.

Für dieses Rezept kann man praktischerweise übriggebliebenen Käse verwenden, immer in derselben Menge wie Mehl. Anstelle des Eigelbs lässt sich auch ein entsprechendes Quantum Milch in den Teig einrühren. Für eine schärfere Note empfiehlt es sich, dem trockenen Mehl etwas Paprika, Senfpulver oder Cayennepfeffer zuzugeben. Wer es rustikaler mag, kann mit getrocknetem Salbei oder Rosmarin würzen.

Brunos Tipp: *Bâtonnets au fromage* lassen sich warm oder kalt servieren.

GÂTEAU MERINGUÉ AUX NOISETTES

Haselnusstorte nach Art des Périgord

FÜR 4 PERSONEN
FÜR 2 RUNDE SPRINGFORMEN,
Ø CA. 20 CM, 6 CM HOCH

- 4 Eier, davon nur die Eiweiße
- 250 g Zucker
- 3–4 Tropfen Vanilleextrakt
- ½ EL Essig
- 125 g Haselnüsse, gemahlen
- 200 ml süße Sahne, aufgeschlagen
- 250 g Stachelbeeren oder Himbeeren, frisch oder tiefgefroren

Alternativ für Brunos Tipp

- Puderzucker
- 150 g essfertige Dörraprikosen, grob gehackt
- Saft von 1 Orange
- 4 EL Wasser

Gâteau aux noix, eine gehaltvolle Torte aus gemahlenen Walnüssen, ist ein Klassiker des Périgord. Brunos Freundin Pamela hat für warme Tage eine etwas leichtere Variante kreiert. Statt der Walnüsse verwendet sie Haselnüsse und verzichtet ganz auf Mehl.

Ofen auf 180° C (Umluft 160° C, Gas Stufe 2) vorheizen. Eiweiße schaumig schlagen. Zucker esslöffelweise den Eiweißen zugeben und langsam weiter schlagen. Vanille und Essig hinzufügen. Haselnüsse unterheben. Masse auf die beiden mit Backpapier ausgekleideten Springformen gleichmäßig verteilen und glatt ziehen. 30–40 Min. backen. Die Oberfläche sollte knusprig, das Innere weich sein. Beide Kuchen auf Kuchengittern abkühlen lassen. Springformen öffnen und das Backpapier vorsichtig entfernen. Sahne über einen der Kuchen streichen, die Stachelbeeren bzw. Himbeeren darauf verteilen und den zweiten Kuchen darauflegen. Puderzucker über den Kuchen stäuben.

Brunos Tipp: Im Winter kann man statt frischer Stachelbeeren oder Himbeeren auch Dörraprikosenpüree verwenden:

Alle Zutaten in einem kleinen Topf 30 Min. köcheln lassen. Abkühlen lassen und pürieren. Für eine weniger geschmeidige Konsistenz nur die Hälfte der eingeweichten Aprikosen pürieren, die andere Hälfte unter die Mischung heben.

TARTE AU CITRON

Zitronentarte

FÜR 4–6 PERSONEN
FÜR EINE TARTEFORM
Ø 25–28 CM

Für den Teig

- 150 g Butter, zimmerwarm und in Würfel geschnitten
- 60 g Puderzucker
- 1 Ei, zimmerwarm
- 320 g Mehl
- 1 Messerspitze Backpulver
- Salz
- Klarsichtfolie
- Mehl zum Ausrollen

Für die Creme

- 4 unbehandelte Zitronen, gewaschen und gebürstet
- 4 Eier
- 450 g Zucker
- 80 g + 10 g ausgelassene Butter
- 125 ml Wasser

Butter und Zucker schaumig rühren. Ei zugeben und Mischung cremig schlagen. Mehl, Backpulver und eine kleine Prise Salz zugeben. Von Hand zu einem Teig vermengen. Eine Kugel daraus formen, flachdrücken, mit Klarsichtfolie umwickeln und 2 Std. im Kühlschrank ruhen lassen. Vor dem Backen sollte er dann wieder Zimmertemperatur angenommen haben. Ofen auf 200° C (Umluft 180° C, Gas Stufe 2) vorheizen. Teig auf etwas Mehl dünn ausrollen, in eine mit Butter eingefettete Tarteform einpassen und an den Rändern gut festdrücken. Teig mit einer Gabel einstechen, damit er keine Blasen wirft. In der Tarteform nochmals für 10 Min. in den Kühlschrank stellen. Dann 15 Min. ohne Füllung blindbacken (siehe dazu *Brunos Küchennotizen*, S. 293).

Für die Creme

Von einer der Zitronen drei hauchdünne Scheiben abschneiden, Kerne entfernen, zur Seite stellen. Von den restlichen Zitronen Zesten abschälen. Diese unter die Eier rühren. Zitronen ausdrücken und den Saft (ca. 125 ml) zugeben. Saft zusammen mit 315 g Zucker und 80 ml ausgelassener Butter gründlich zu einer Creme vermengen. Zitronencreme auf dem gebackenen Teigboden verteilen. Weitere 20–30 Min., wieder bei 200° C, backen. Ist die Creme fest, Tarte aus dem Ofen nehmen und abkühlen lassen. In einer kleinen Pfanne 125 ml Wasser und 125 g Zucker erhitzen, bis sich der Zucker im Wasser aufgelöst hat. Zitronenscheiben vorsichtig in den Sirup legen und 10 Min. ziehen lassen. Zitronenscheiben abkühlen lassen und zur Dekoration auf die Tarte legen.

TARTE AUX NOIX

Walnusstarte

FÜR 8–10 PERSONEN
FÜR EINE TARTEFORM Ø 24 CM

Für den Teig
- 300 g Mehl
- 200 g Butter
- 150 g Zucker
- 1 Prise Salz
- 1 Ei

Für die Füllung
- 220 g Walnusskerne, in Hälften
- 160 ml süße Sahne
- 120 ml Wasser
- 360 g Zucker
- 60 g Butter

In der Küche des Périgord sind Walnüsse ebenso wichtig wie Trüffeln. Nach folgendem Rezept lässt sich eine Tarte mit knusprig karamellisierten Walnüssen zubereiten.

Für den Teig
Mehl, Zucker und Salz in einer Küchenmaschine vermengen. Butter unterkneten, bis erbsengroße Streusel entstanden sind. Ei und zunächst 7 EL Wasser mit einer Gabel aufschlagen und in den Teig einrühren. Wenn sich der Teig noch nicht fest verklumpen lässt, mehr Wasser zugeben, jeweils nur ½ EL aufs Mal. Teig zu einer Kugel formen, mit Klarsichtfolie umwickeln und mindestens 1 Std. kalt stellen. Danach Teig zwischen 2 Folien kreisrund (Ø ca. 30 cm) ausrollen. In die zuvor mit Backpapier ausgelegte Tarteform einpassen und am Rand andrücken. Mit der Nudelrolle über den Rand fahren, um den Überstand abzuschneiden. Noch einmal am Rand andrücken, bis der Teig ein kleines Stück über die Form hinausragt. Für 30 Min. kühlstellen, damit der Teig wieder fest wird.

Für die Füllung
Ofen auf 220° C (Umluft 180° C, Gas Stufe 3) vorheizen. Walnüsse auf einem Backblech verteilen, im Ofen 5 Min. leicht anrösten und in einer separaten Schale beiseitestellen. In einem kleinen Topf Sahne bei mittlerer Temperatur erhitzen. In einem größeren Topf Wasser und Zucker bei mittlerer Temperatur aufwallen lassen, verrühren, bis sich der Zucker aufgelöst hat. Aufkochen lassen, ohne zu rühren. Topf von der Herdplatte nehmen und langsam heiße Sahne zugeben (Vorsicht, sie wird anfangs heftig brodeln). Walnüsse und Butter unterheben und bei sehr schwacher Hitze unter ständigem Rühren 2 Min. kochen. Karamellisierte Nüsse auf dem Tarte-Teig verteilen. 2 EL Zucker darüberstreuen.

Tarte für 25 Min. in den Ofen schieben (nach 15 Min. kontrollieren; falls der Rand allzu dunkel wird, Tarteform mit Alufolie abdecken). Hitze auf 180° C (Umluft 160° C, Gas Stufe 2) reduzieren. Weiter backen, bis die Walnussfüllung nach ca. 10–15 Min. goldbraun und die Kruste golden ist. Tarte in der Form 30–45 Min. abkühlen lassen. Lauwarm oder kalt servieren.

MIEL ET NOIX

Honig-Walnuss-Cake

FÜR 4 PERSONEN
FÜR EINE KASTENFORM,
CA. 10 X 10 X 25 CM

- Butter oder Öl zum Einfetten der Form
- 100 g weiche Butter
- 4 Eier, Eiweiße steif geschlagen
- 150 g Zucker
- 200 g Walnüsse, fein gehackt
- 2 EL flüssiger Honig
- 80 g Mehl
- 1 EL Backpulver
- 7 g Trockenhefe
- 2½ TL *vin de noix* oder Armagnac (optional)

Eine Köstlichkeit, die sich in Hüftgold auszahlt, aber Bruno will nicht immer auf alles Gute verzichten. Ihr Name bedeutet schlicht und einfach Honig und Nüsse, doch die Kombination ergibt ein göttliches Dessert. Aus ihr lässt sich auch ein Kuchen backen, der aus jeder Teerunde ein Festessen macht.

Ofen auf 210° C (Umluft 190° C, Gas Stufe 3–4) vorheizen; Kastenform mit etwas Butter einfetten und mit Mehl bestäuben. Butter schaumig rühren. Zucker und Eigelbe gründlich einmengen, Walnüsse, Honig, Mehl, Backpulver und Trockenhefe unterheben, aber nicht schlagen. Eiweiße steif schlagen, unterheben. Teig auf das Backblech geben, in den Ofen schieben und 20 Min. backen, dann Temperatur auf 150° C (Umluft 130° C, Gas Stufe 1) reduzieren und weitere 25 Min. backen. Dieser im Périgord beliebte Kuchen ist sehr trocken. Soll er etwas saftiger sein, beträufelt man ihn, wenn er aus dem Ofen kommt, mit *vin de noix* oder Armagnac.

MERVEILLES DU PÉRIGORD

Krapfen nach Art des Périgord

FÜR 4 PERSONEN
FÜR EINE GROSSE PFANNE

- 75 g Zucker
- 3 Eier
- 1 Prise Salz
- 50 g Butter, zerlassen
- Zesten einer unbehandelten, gewaschenen, gebürsteten Zitrone
- 2 EL Rum
- 1 TL Vanilleextrakt
- 500 g Mehl
- 8 g Trockenhefe
- Sonnenblumen- oder ein anderes Pflanzenöl zum Frittieren
- Puderzucker zum Bestäuben

Diese Krapfen sind an Festtagen und bei Feierlichkeiten sehr beliebt.

In einer großen Schale Zucker, Eier und Salz mit einem Holzlöffel schaumig rühren. Butter, Zesten, Rum und den Vanilleextrakt zugeben und alles gut miteinander vermischen. Mehl und Trockenhefe vermengen und unter die Eiermischung heben. Mit der Hand zu einem Teig kneten und 2 Std. ruhen lassen. Teig 1 cm dick ausrollen und in Dreiecke, Rechtecke und Rauten aufschneiden. Teigstücke in siedendem Öl schwimmend goldgelb ausbacken. Mit einer Schaumkelle aus der Pfanne nehmen und auf Küchenpapier abtropfen lassen. In Puderzucker wälzen und sofort servieren.

BEIGNETS SUCRÉS

Teekrapfen

FÜR 4 PERSONEN
FÜR EINEN HOHEN TOPF

- 500 g Mehl, gesiebt
- 250 ml Milch, lauwarm
- 20 g Hefe
- 75 g Butter, in Flocken
- 30 g Zucker sowie Puderzucker zum Bestäuben
- 2 Eier
- 1 EL Kirschwasser oder Rum
- 1 Prise Salz
- Sonnenblumen- oder ein anderes Pflanzenöl zum Frittieren

In Frankreich werden *beignets* gern zum Kaffee gereicht, etwa zu einem guten Arabica und nicht zu dem weniger edlen Robusta-Kaffee, der (wie auch Muckefuck) seit langem standardmäßig zum französischen Frühstück gehört. Von Pamela hat Bruno gelernt, dass *beignets* auch sehr gut zu Tee schmecken, insbesondere zu einem Earl Grey. Aber lieber nicht auf Teebeutel zurückgreifen, wie in Frankreich üblich, sondern dem britischen Beispiel folgen: Teekanne mit kochendem Wasser erwärmen, Wasser ausschütten; pro Person einen gestrichenen TL losen Tee in die Kanne geben, mit kochendem Wasser aufgießen und 2 Min. ziehen lassen.

Mehl in eine Rührschüssel sieben und Zucker beifügen. In der Mitte eine Mulde bilden und Hefe-Milch-Mischung hineingießen. Butterflocken auf den Rand des Mehlkraters streuen, von der Mitte her nach außen hin mit den Eiern, dem Kirschwasser und dem Salz in die Hefe-Milch-Mischung einarbeiten und zu einem geschmeidigen, luftigen Teig verkneten. Kleine Kugeln formen und in siedendem Öl schwimmend goldgelb backen. Mit einer Schaumkelle aus dem Öl heben und mit Puderzucker bestreuen.

Mit Obstkompott oder Eiscreme servieren oder pur genießen.

CROUSTADE D'ABRICOTS

Aprikosenpastete

FÜR 4–6 PERSONEN
FÜR EIN RUNDES BACKBLECH

- *croustade*-Teig (Rezept siehe *Brunos Küchennotizen*, S. 293)
- 12–14 reife Aprikosen, aufgeschnitten, entkernt und geviertelt
- 20 g Zucker
- Butter zum Einfetten des Backblechs
- Mehl zum Ausrollen

Ofen auf 200° C (180° C Umluft, Gas Stufe 3) vorheizen. Backblech mit Butter einfetten. Auf einer mit Mehl bestäubten Arbeitsplatte den *croustade*-Teig kreisförmig ausrollen und auf das Backblech legen. Aprikosenviertel in der Mitte aufhäufen, dann nach den Seiten hin verteilen, aber darauf achten, dass ringsum ein Rand von ca. 7 cm unbelegt bleibt. Früchte zuckern. Teigrand nach innen umschlagen. Backblech auf der mittleren Schiene in den Ofen schieben und 40–45 Min. backen. Die Aprikosen sollten an den Rändern angebräunt, der Teig goldgelb und knusprig sein.

Variante: Statt der Aprikosen eignen sich für dieses Rezept auch sehr gut entweder Pflaumen oder Apfelstücke (Letztere werden vorher in einem Topf bei mittlerer Hitze mit 150 g Butter und 10 g Zucker angedünstet, bis sie weich und goldgelb sind).

Brunos Tipp: Im Winter können auch gefrorene Früchte genommen werden. Sie sollten jedoch nicht aufgetaut sein, weil die *croustade* sonst matschig würde.

CROQUANTS AUX NOIX

Walnuss-Krokant-Plätzchen

FÜR 4 PERSONEN
FÜR EIN BACKBLECH

- 2 Eier
- 100 g Zucker
- 100 g Vanillezucker
- 200 g Mehl
- 200 g Walnüsse, davon 100 g gehackt und 100 g gemahlen
- 1–4 EL Sahne oder Milch

Für die etwas weichere *croquants*-Variante

- 2 Eier
- 200 g Zucker
- 1 TL Vanilleextrakt
- 200 g Mehl und 20 g mehr zum Ausrollen
- 200 g Walnusskerne, grob gehackt oder gemörsert
- 1 EL Sahne

Croquants aux noix sind die Périgord-Variante der italienischen *cantucci*, mit dem Unterschied, dass die *cantucci* zweimal gebacken *(biscotti)* sind. Hart sind beide. Am besten serviert man sie deshalb entweder zu einer *crème anglaise* (Rezept S. 179) oder nach dem Essen zu einem *vin de noix* (Rezept S. 262), ähnlich wie die Italiener, die ihre *cantucci* auch in *vin santo* eintauchen.

Ofen auf 160° C (Umluft 140° C, Gas Stufe 1) vorheizen. Eier über einer Rührschüssel aufbrechen und mit dem Zucker und Vanillezucker schaumig schlagen. Nach und nach Mehl und Walnüsse einstreuen und das Ganze zu einem Teig verkneten. 1 EL Sahne oder Milch zugeben. Der Teig sollte geschmeidig, aber nicht zu weich sein. Teig auf einer mit Mehl bestäubten Oberfläche ½ cm dick ausrollen. Mit dem Rand eines Weinglases runde Formen von Ø 5–7 cm ausstechen. Auf mit Backpapier ausgelegtem Backblech 30 Min. backen, bis sie eine hellgoldene Farbe angenommen haben.

Eine etwas weichere *croquants*-Variante:
Ofen auf 160° C (Umluft 140° C, Gas Stufe 1) vorheizen. Eier mit Zucker schaumig rühren. Vanilleextrakt zufügen. Langsam unter Rühren Mehl dazusieben, dann nach und nach Walnüsse einstreuen. Der Teig wird steif und bröckelig sein. Sahne zugeben und von Hand in den Teig einkneten. Diesen zu einer Kugel formen. Kühl stellen. Teig ½ cm dick auf etwas Mehl ausrollen. Mit einem Keksförmchen oder einem umgedrehten Weinglas Kreise von Ø 5–7 cm ausstechen, damit ein mit Backpapier ausgelegtes Blech belegen und 30 Min. goldbraun backen. Aus dem Ofen nehmen, Plätzchen auf einem Kuchengitter vollständig auskühlen lassen.

Brunos Tipp: In einem luftdichten Behälter halten die *croquants aux noix* mehrere Tage.

TARTE AU CHOCOLAT

Schokoladentarte

FÜR 4 PERSONEN
FÜR EINE RUNDE TARTEFORM,
Ø CA. 25 CM

Für den Teig
- 300 g Mehl
- 200 g Butter, zimmerwarm
- 150 g Zucker
- 1 Prise Salz
- 1 Ei

Für den Belag
- 250 g Zartbitterschokolade (65–70% Kakaoanteil), in kleine Stücke gebrochen
- 100 g Vollmilchschokolade, in kleine Stücke gebrochen
- 200 ml Sahne

Für den Teig:
Alle Zutaten gut miteinander vermengen und 2 Std. kühl stellen. Ofen auf 140° C (Umluft 130° C, Gas niedrigste Stufe) vorheizen. Teig ausrollen, in die zuvor mit Backpapier ausgelegte Tarteform einpassen und an den Seiten festdrücken.
30 Min. blindbacken (siehe dazu *Brunos Küchennotizen*, S. 293); der Teig soll nicht braun werden. Auskühlen lassen.

Für den Belag:
In einem Wasserbad (siehe dazu *Brunos Küchennotizen*, S. 301) Schokolade in der Sahne schmelzen lassen, alternativ in einem Topf mit festem Boden bei niedriger Temperatur und unter ständigem Rühren. Vom Herd nehmen und mit einem Schneebesen kräftig durchschlagen, bis sich die Schokolade und die Sahne zu einer glänzenden Masse verbunden haben. Auf den gekühlten Tortenboden gießen und mindestens 2 Std. tiefgefrieren. Die Menge reicht für eine größere Tarte oder 4–6 *tartelettes* (in niedrigen Törtchenformen). Tarte 2 Std. vor dem Servieren aus der Tiefkühltruhe nehmen.

GÂTEAU CAFÉ CRÈME

Kaffee-Sahne-Schnitten

FÜR EINE SPRINGFORM, Ø 20 CM

Für den Teig:
- 250 ml Espresso oder sehr starker Kaffee
- 250 g Butter, gewürfelt
- 60 g Kakaopulver, ungesüßt
- 60 g Kaffeegranulat
- 400 g sehr feiner Zucker
- 180 ml *crème fraîche*
- 2 Eier
- 10 ml Vanilleextrakt
- 250 g Mehl
- 10 g Backpulver

Für den Belag:
- 250 g Doppelrahm-Frischkäse
- 300 g Puderzucker
- 120 ml Sahne

Ein *café au lait*, die klassische französische Tasse Kaffee, wird im Périgord nicht mit geschäumter Milch serviert, sondern mit dünner Sahne und heißt dort deshalb *café crème*. Das Rezept für den Kuchen ist von dessen Geschmack und Aussehen inspiriert – dunkel, saftig, aromatisch und mit einem cremigen Schaumbelag.

Backofen auf 180° C (Umluft 160° C, Gas Stufe 2) erhitzen. Springform mit Butter einfetten oder mit Backpapier auslegen. Espresso oder sehr starken Kaffee in eine große Pfanne gießen. Butter zugeben und bei mittlerer Hitze zum Schmelzen bringen. Kakaopulver, Kaffeegranulat und Zucker einrühren, bis sich alles aufgelöst hat. In einer Schüssel die Eier und den Vanilleextrakt mit der *crème fraîche* aufschlagen, die Kaffeemischung zugeben und Mehl und Backpulver unterrühren.

Teig in mit Backpapier ausgelegte Springform gießen und auf mittlerer Schiene 45 Min. backen. Die Decke wird aufbrechen. Der Kuchen sollte saftig sein, nicht zu nass. Mit Holzstäbchen testen und gegebenenfalls für weitere 5 Min. im Ofen lassen. Auf einem Gitter abkühlen lassen, aus der Springform nehmen.

Für den Belag
Sahne steif schlagen, Puderzucker unterheben. Mit dem Frischkäse vermengen und über den Kuchen streichen, lieber wellig als glatt, damit er einer Tasse *café au lait* gleicht.

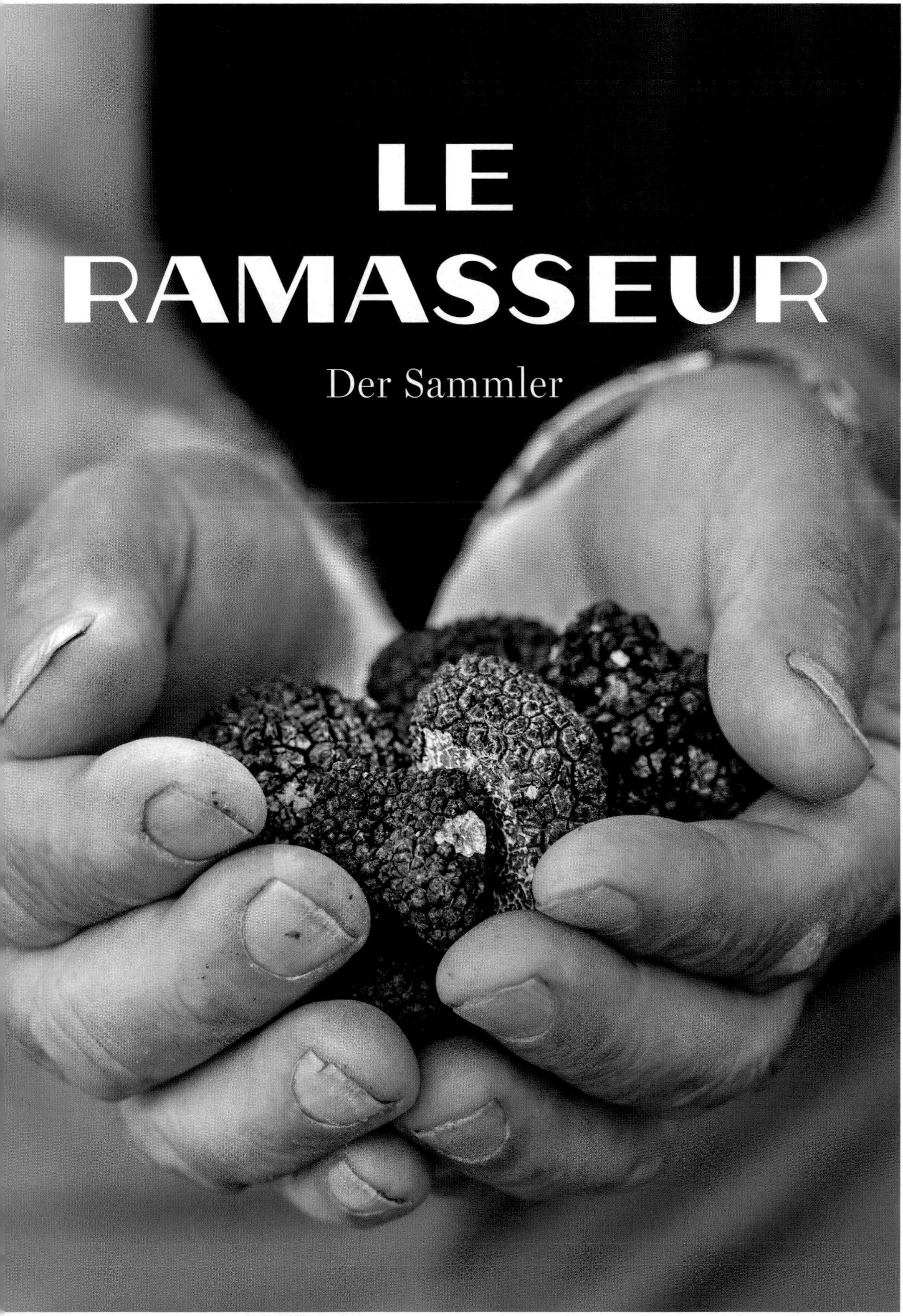
LE
RAMASSEUR
Der Sammler

Der Sammler

Als uns einmal die Marktfrau eine Tüte Totentrompeten reichte, fiel uns auf, dass ihr zwei Finger fehlten. Sie hob bloß achselzuckend die Hand und sagte: »Das Schwein war eher bei der Trüffel als ich. Deshalb machen wir uns jetzt immer mit Hunden auf die Suche.«

Kurz darauf stürzte mein Nachbar und Freund, den wir immer nur den Baron nennen, als wir mitten in der Nacht nach heftigen Regenfällen nach Schnecken suchten, in einen Graben. Und irgendwann wurden wir von Bienen gestochen, als wir Marcel dabei halfen, die Beute aus seinen selbstgebauten Bienenstöcken einzusammeln, die er am Waldrand in der Nähe von Kastanienbäumen platziert hatte, weil deren Honig von allen heimischen Sorten der begehrteste ist. Auf Nahrungssuche durch das Périgord zu streifen kann gefährlich sein, ist aber die wohl älteste Form der Lebensmittelbeschaffung und geht zurück bis auf jene Kultur der Jäger und Sammler, die hier ihre Höhlen ausmalten.

Wenn wir zum Pilzesuchen in den Wald gehen oder den Hund auf Trüffeln ansetzen oder darauf warten, dass der Regen aufhört, damit wir Schnecken sammeln können, stellt sich ein eigentümliches Gefühl von Zufriedenheit ein in dem Wissen, dass wir den Spuren unserer Ahnen folgen.

Wir haben Pflaumenbäume in unserem Garten, ziehen aber die kleinen *mirabelles* vor, die gelben Zwetschgen und Rundpflaumen, die wild an den Waldrändern wachsen. Wenn wir uns an Mittsommertagen vor dem 21. Juni mit Walnüssen für unseren *vin de noix* versorgen oder im September Esskastanien ernten, die wir dann trocknen und mahlen, um grobes, gelbes Brot daraus zu backen, finden wir ein zusätzliches Vergnügen daran, die Hauptzutaten umsonst zu bekommen. Für meinen Gemüsegarten *(potager)* kaufe ich Saatgut und Setzlinge; dafür muss ich Geld ausgeben, wenn auch sehr wenig. Aber der *ramasseur* lebt tatsächlich von dem, was er findet.

Und das Périgord ist wahrhaftig überaus reich an wildem Knoblauch und Kräutern, die im Wald und vor den Hecken wachsen, reich an unzähligen essbaren Pflanzen, von manchen als Unkraut missachtet. Ehe wir eines Besseren belehrt wurden, erklärten wir dem Portulak in unserem Garten den Krieg, weil er mit seinen purpurn schimmernden Sprossen und dicken grünen Blättern um sich greift und besonders gern auch unseren kiesbedeckten Hof überwuchert. Meine Frau machte sich kundig und ging dazu über, junge Blätter unter Salate zu mischen, was herrlich schmeckt. Dann fand sie heraus, dass die Pflanze ursprünglich in Indien und Persien beheimatet war, wo sie wie Spinat zubereitet und gegessen wird. Also versuchten wir es auch, waren begeistert und machten uns daran, andere bislang unbeachtete Delikatessen zu entdecken.

In den Wäldern des Périgord schießen, wenn es geregnet hat, überall die Pilze: weiße Champignons, die schmackhaften braunen Waldchampignons und die *cornes* oder Totentrompeten, so benannt, weil man sich früher vorstellte, dass sie aus den Gräbern längst Verstorbener heraus erschallen, und natürlich der Steinpilz, in Frankreich *cèpe* und in Italien *porcino* genannt, ein wunderbar nahrhafter Speisepilz voller Proteine, Mineralien, Vitamine und Ballaststoffe. Aus all diesen Pilzen lässt sich eine köstliche Suppe zubereiten oder eine Füllung für Geflügel. Sie verfeinern ein Omelett oder können, entweder nur in Butter (Steinpilze) oder Entenfett (Pilzmischungen) gebraten, als eigenständige Mahlzeit genossen werden. 100 Gramm, fein gehackt unter *pommes de terre à la sarladaise* gemengt, lassen einen Gaumenschmaus erwarten.

Das Höchste ist, wenn man Trüffeln findet – die bleichen, die im Sommer wachsen *(tuber aestivum)*, die *brumales* im Winter oder, wenn man Glück hat, die sagenhaften schwarzen Diamanten *(melanosporum)*, ebenfalls im Winter.

Vor 1914 wurden in Frankreich jährlich über 500 Tonnen Trüffeln geerntet, heute kommen nur noch 20 bis 40 Tonnen zusammen, und die unvergleichlichen schwarzen Diamanten des Périgord sind enorm teuer geworden – auf dem Markt von Sainte-Alvère werden bis zu 2000 Euro für ein Kilo verlangt.

SALADE MESCLUN DU RAMASSEUR

Salat mit wilden Kräutern

FÜR 4 PERSONEN

- 1 Kopf grüner Salat (Batavia oder Eichblatt)
- Weitere Salate nach Belieben:
- Rucola
- Feldsalat
- Löwenzahnblätter
- Sommerportulak
- Kresseblätter
- Vogelmiere
- Kapuzinerkresse
- Borretschblüten
- Schnittlauchblüten
- Ringelblumenblütenblätter

Für die Vinaigrette

- 4 EL Sherry-Essig
- 4 EL Balsamico-Essig
- 1 TL Salz
- Pfeffer aus der Mühle
- Dijon-Senf nach Belieben
- Olivenöl und ein wenig Walnussöl, nach Belieben

In ganz Frankreich sucht man gern auch jenseits des Gemüsegartens nach wilden Kräutern für den Salat. Im Frühjahr, wenn es zu grünen anfängt, geht Bruno mit seinem Opinel-Messer auf die Felder hinaus und erntet zarte Löwenzahnblätter. Wenn der Löwenzahn Knospen treibt, sammelt er sie für ein Omelett. Allen, die ein Auge dafür haben, bieten die Felder eine Fülle an wildem Rucola, Portulak, wilder Minze und anderen Kräutern. Im Garten sind es Kapuzinerkresse, Borretschblüten oder Halme und Blüten des Schnittlauchs, die zu Salaten passen.

Salatblätter putzen, waschen, in einer Salatschüssel anrichten, mit einer Vinaigrette übergießen und mischen.

Für die Vinaigrette
Essig, Salz und Pfeffer sowie Senf in einer Schüssel vermengen. Oliven- und Walnussöl einrühren, bis die Vinaigrette glatt ist.

SALADE AUX NOIX ET AUX POMMES

Chicorée-Rucola-Salat mit Walnüssen und Äpfeln

FÜR 4 PERSONEN

Für die Nüsse
- 1 Eiweiß
- 5 g Meersalz, fein zerrieben
- 125 g brauner Zucker
- 25 ml *vin de noix* (Rezept S. 262)
- 10 g gemahlener Zimt
- 1 Prise Cayennepfeffer
- 250 g Walnusshälften

Für die Vinaigrette
- 1 kleine Schalotte, fein gehackt
- 25 ml Rotweinessig
- 100 ml Walnussöl (oder natives Olivenöl)
- Salz
- Pfeffer aus der Mühle

Für den Salat
- 2 Äpfel, geschält, entkernt und in dünne Scheiben geschnitten
- 3 weiße Chicorée, in 2 cm breite Streifen geschnitten
- 2 kleine Bunde Rucola
- Meersalz
- Pfeffer aus der Mühle

Dieses Gericht habe ich zusammen mit einem Freund erfunden, der mir von einem traditionellen amerikanisch-jüdischen Rezept für gewürzte Nüsse erzählte, bei dem Passah-Wein-Reste Verwendung finden. Als ich das Rezept nachkochte, ersetzte ich den Passah-Wein durch *vin de noix* und kam dabei auf die Idee, aus *vin de noix*, Walnussöl und Salat eine glückliche Dreifaltigkeit zu zaubern.

Für die Nüsse:
Ofen auf 150° C (Umluft 130° C, Gas Stufe 1) vorheizen. Eiweiß und eine Prise Meersalz schaumig schlagen. Zucker, *vin de noix*, Zimt und Cayennepfeffer zugeben. Walnusshälften unterrühren, um sie gut von allen Seiten mit der Eiweißmischung zu bedecken. Walnusshälften herausnehmen, auf einem mit Backpapier ausgelegten Backblech verteilen und 30 Min. backen. Nach 15 Min. wenden. Abkühlen lassen.

Für die Vinaigrette:
Schalotte, Rotweinessig, eine Prise Meersalz und Pfeffer in eine Schüssel geben, gut miteinander vermengen und 10 Min. ruhen lassen. Walnussöl zugießen. Von den gewürzten Nüssen so viele zugeben wie gewünscht.

Für den Salat:
Äpfel, Chicorée und Rucola in eine Salatschüssel geben. Walnuss-Vinaigrette hinzufügen und alles gut miteinander vermengen. Mit Salz und Pfeffer abschmecken und sofort servieren.

Brunos Tipp: Bruno begnügt sich mit einem Drittel der oben angegebenen Nussmenge und stellt den Rest in einer Schale auf den Tisch, damit sich jeder bedienen kann.

HARICOTS VERTS AUX NOIX

Grüne Bohnen mit Walnüssen

FÜR 4 PERSONEN

- 600 g grüne Bohnen, geputzt, an den Spitzen beschnitten
- 125 g Walnüsse, am besten in Hälften, oder aber auch zerkleinert
- Walnussöl
- Salz
- Pfeffer aus der Mühle

Mit etwas Butter sind grüne Bohnen schon an sich köstlich und eine der guten Gaben des frühen Sommers. Aber angerichtet mit Walnüssen, an denen das Périgord überaus reich ist, sind sie ein Hochgenuss.

Ofen auf 200° C (Umluft 180° C, Gas Stufe 3) vorheizen. Walnüsse auf einem Backblech verteilen und 5 Min. rösten. Bohnen in Salzwasser ca. 4 Min. kochen; sie sollten noch bissfest sein. Bohnen abtropfen lassen, die gerösteten Walnüsse unterheben, großzügig mit Walnussöl beträufeln, salzen und pfeffern. Möglichst warm servieren.

CÈPES & CIE EN PERSILLADE

Steinpilze & Co. mit Knoblauch und Petersilie

FÜR 4 PERSONEN
FÜR EINE SCHWERE SAUTIERPFANNE

- 4 EL Entenschmalz, Butter oder Olivenöl
- 800 g Steinpilze / Champignons / Pfifferlinge, geputzt und in dünne Scheibchen geschnitten
- 2 Knoblauchzehen, fein gehackt
- 1 kleines Bund glatte Petersilie, zusammen mit dem Knoblauch zu einer *persillade* fein gehackt
- Salz
- Pfeffer aus der Mühle

Im Herbst, wenn der Regen die Pilze hat schießen lassen, schleichen die Bewohner von Saint-Denis aus ihren Häusern, fahren über Land und parken den Wagen möglichst außer Sichtweite, um ihre Geheimplätze nicht an ihre Freunde und Nachbarn zu verraten. Dieses Rezept lässt sich aber auch gut ohne Steinpilze, dafür aber mit Champignons, Pfifferlingen und anderen Mischpilzen zubereiten.

In einer schweren Sautierpfanne Entenschmalz (im Fall von Steinpilzen bevorzugt nur Butter) bei mittlerer Temperatur schmelzen. Pilze in zwei Portionen zugeben und umrühren. Bei niedrigerer Temperatur 20–30 Min. schmoren lassen und immer wieder wenden. Petersilie und Knoblauch unterrühren. Mit Salz und Pfeffer abschmecken und auf einem vorgewärmten Teller servieren.

Brunos Tipp: Wenn die Pilze nicht als Hauptgang serviert werden, kann man sie auf je einer Scheibe geröstetem *pain de campagne* (Rezept S. 186) reichen. Für dieses Gericht lassen sich auch getrocknete Steinpilze verwenden.

ESCARGOTS À LA PÉRIGOURDINE

Weinbergschnecken-Eintopf nach Art des Périgord

FÜR 4 PERSONEN
FÜR EINE KASSEROLLE
MIT DECKEL

- 1 Dutzend frische Weinbergschnecken, ohne Gehäuse (zum Beispiel *gros-gris*; bei kleineren, zum Beispiel *petit-gris*-Schnecken empfiehlt sich das doppelte Quantum)
- 300 ml Bergerac rouge oder ein anderer fruchtiger Rotwein
- ¼ TL *piment d'Espelette* (alternativ kann auch 1 Prise Cayennepfeffer verwendet werden)
- 40 g Entenschmalz
- 600 g Schweinehack oder Wurstbrät
- 100 g würziger Kochschinken, in Würfel geschnitten
- 200 g Tomaten, gehäutet
- 4 Knoblauchzehen, fein gehackt
- 1 Lorbeerblatt
- 5 Salbeiblätter oder 1 TL getrockneter Salbei
- 3 Zweige frischer oder 1 TL getrockneter Thymian
- Salz
- Pfeffer aus der Mühle

Brunos Rezept ist die Variation eines Gerichtes von Aurélie Binot, der Chefin der bei Les Eyzies gelegenen Schneckenfarm Le Queylou, die u.a. sogenannte *gros-gris*- und *petit-gris*-Schnecken züchtet. Von Juli bis August bietet sie dieses Gericht nur auf den Nachtmärkten von Audrix und Le Bugue an. Ihre vorzüglichen Schnecken und einen geradezu kühn innovativen *gâteau d'escargots* verkauft sie auf den Märkten Saint-Cyprien, Sarlat und Le Bugue.

Ofen auf 200° C (Umluft 180° C, Gas Stufe 3) vorheizen. Weinbergschnecken in einer Schüssel mit einem Glas Rotwein und dem *piment d'Espelette* mindestens 30 Min. einlegen. In einer Kasserolle Schweinehack (bzw. Wurstbrät) in Entenschmalz anbraten und unter gelegentlichem Umrühren ca. 10 Min. garen. Schinken, Tomaten, Knoblauch, Lorbeerblatt und den restlichen Wein zugeben. Abgedeckt 30 Min. im Ofen schmoren. Schnecken samt Rotwein-*piment-d'Espelette*-Marinade sowie Salbei und Thymian hinzufügen und weitere 30 Min. backen. Mit Salz und Pfeffer abschmecken und sofort servieren.

Brunos Tipp: Dieses Rezept ist nicht vollständig. Es fehlt ein von Aurélie Binots Großmutter streng gehütetes Geheimnis, über das viel spekuliert wird. Manche behaupten, es sei die Zugabe von je einem Likörglas *vin de noix* (Rezept S. 262) und Armagnac, kurz vor dem Servieren untergerührt. Das kommt der Sache schon recht nahe, aber nicht ganz. Näher dran war Pamela, die außer *vin de noix* und Armagnac noch einen Löffel Worcestershire-Sauce hinzugab. Bruno ging in seinen Überlegungen ein paar grundsätzlichen Fragen nach. Er wusste, dass Äpfel gut zu Schweinefleisch schmecken und dass Aurélies Großmutter mehrere Apfelbäume in ihrem Garten hatte. Also mengte er dem Hackfleisch beim Anbraten noch 50 g Apfelkompott unter, und statt *vin de noix* und Armagnac gab er ein Likörglas Pastis hinzu. Wenn keine frischen Schnecken erhältlich sind, kann man auf Schnecken in der Dose zurückgreifen.

OMELETTE AUX TRUFFES

Omelett mit Trüffeln

FÜR 1 PORTION
FÜR EINE GROSSE BESCHICHTETE BRATPFANNE

- 3 Eier
- 1 TL kaltes Wasser
- Salz
- Pfeffer aus der Mühle
- 1 Périgord-Trüffel
- 1 Knoblauchzehe, durch die Presse gedrückt
- 1 EL Trüffelöl

Ehe er *Chef de police* von Saint-Denis wurde, gehörte Bruno dem französischen Kontingent der UN-Friedenstruppen in Bosnien an. Damals bereitete er für seine Einheit einmal ein riesiges Omelett zu. Es bestand aus drei Dutzend Eiern, die in einem Mülltonnendeckel über einem offenen Feuer gebraten wurden. Davon rät er heute dringend ab. Ein Omelett für eine Person sollte aus nicht weniger als 2 und nicht mehr als 4 Eiern zubereitet werden. Wer jedoch ein Omelett für mehrere Personen servieren möchte (worüber Bruno die Nase rümpfen würde), braucht eine sehr, sehr große Bratpfanne.

Eier mit kaltem Wasser verquirlen. Jeweils eine Prise Salz und Pfeffer sowie Bruch beziehungsweise Reste einer Trüffelknolle zugeben. Knoblauch hinzufügen. In einer beschichteten Bratpfanne Trüffelöl bei hoher Temperatur erhitzen. Eiermischung zugießen und verteilen, entweder durch Schwenken der Pfanne oder mit Hilfe eines Holz- oder Kunststoffspachtels. Sobald die Flüssigkeit stockt, mit ruckartigen Bewegungen der Pfanne dafür sorgen, dass die Masse nicht am Boden haftet. Die ersten 3 Trüffelscheiben auf die Eiermischung legen. Omelett zusammenfalten und vor dem Servieren 3 weitere Trüffelscheiben darüberschneiden.

Brunos Tipp: Die Eier zusammen mit einer Trüffelknolle über Nacht in einem luftdichten Gefäß aufbewahren. Eierschalen sind porös und lassen das Aroma in die Eier einziehen.

ENDIVES AU MIEL

Chicoréegemüse mit Honig

FÜR 4 PERSONEN

- 20 g Butter
- 6 Chicorée, Strünke und äußere Blätter entfernt
- 4 EL Honig
- Salz
- Pfeffer aus der Mühle

Butter in einem Topf erhitzen und Chicorée zugeben. Bei niedriger Temperatur und geschlossenem Deckel dünsten, 1–2 Mal wenden. Honig, Salz und Pfeffer zugeben. Weitere 15 Min. dünsten und zwischendurch immer wieder wenden. Warm servieren.

Brunos Tipp: Mit je einer Scheibe Parma-, Räucher- oder gekochtem Schinken umwickelt und 2–3 Min. direkt unter dem heißen Grill knusprig gebraten, schmeckt das Chicoréegemüse ebenfalls lecker.

RISOTTO AUX CHAMPIGNONS, POIREAUX ET TRUFFES

Risotto mit Champignons, Lauch und Trüffeln

FÜR 4 PERSONEN

- 1 l Fleisch- oder Gemüsefond (beide Fonds siehe *Brunos Küchennotizen*, S. 295 f.) oder Gemüsebrühe
- 2 EL Olivenöl
- 100 g Butter
- 2 Schalotten, fein gehackt
- 2 Knoblauchzehen, fein gehackt
- 2 Stangen Lauch, nur die weißen bis hellgrünen Abschnitte, in feine Ringe geschnitten
- 500 g Champignons, in dünne Scheiben geschnitten
- 400 g Risotto-Reis
- 200 ml trockener Weißwein
- Salz
- Pfeffer aus der Mühle
- ½ Trüffel in hauchdünnen Scheiben

Fond oder Brühe zum Kochen bringen. In einem zweiten Topf 1 EL Olivenöl mit einem Viertel der Butter erhitzen und Schalotten, Knoblauch, Lauch und ein Drittel der Champignons etwa 15 Min. bei schwacher Hitze dünsten. Reis dazugeben und bei höherer Temperatur ständig durchrühren, bis er glasig ist. Wein zugießen und weiterrühren, bis sich der Alkoholdunst verflüchtigt hat. Sobald der gesamte Wein in den Reis eingekocht ist, schöpflöffelweise heißen Fond oder Brühe und eine kräftige Prise Salz dazugeben. Die Temperatur so weit verringern, dass das Risotto nur noch leise blubbert. Dabei ständig rühren.

In einer Pfanne restliche Butter und restliches Olivenöl erhitzen und den Rest der Champignons darin vorsichtig anbraten. Sie dürfen nicht zu dunkel werden. Salzen. Jetzt das 2. Drittel der gebratenen Pilze zum Risotto geben und ev. noch mehr Fond oder Brühe einrühren, so dass eine cremige Konsistenz entsteht. Die Reiskörner sollen weich sein, aber noch etwas Biss haben. Zuletzt mit Salz und Pfeffer dezent abschmecken und die restliche Butter aus der Pfanne einrühren. Den fertigen Risotto auf tiefen Tellern anrichten, das letzte Drittel der gebratenen Champignons darüber verteilen. Von der Trüffelknolle hauchdünne Scheiben darüberhobeln.

PRUNEAUX D'AGEN

Backpflaumen aus Agen

FÜR 4 PERSONEN

Für die *pruneaux en chemise*:
- 400 g *pruneaux d'Agen* (ersatzweise Backpflaumen ähnlicher Qualität), längs aufgeschnitten und entkernt
- pro Backpflaume 1 dünne Scheibe durchwachsenen Speck

Für die *pruneaux fourrés de fois gras*:
- 400 g *pruneaux d'Agen*
- pro Backpflaume 1 TL Stopfleber

Die auf den Märkten des Périgord auf hölzernen Laden zu schimmernden Bergen aufgehäuften *pruneaux d'Agen* aus dem Département Lot-et-Garonne werden in ganz Frankreich ihrer saftigen Süße wegen hochgeschätzt und seit 2002 europaweit mit einem Herkunftssiegel *indication géographique protégée* (IGP) geschützt. Zu diesen köstlichen Backpflaumen serviert man am besten einen Aperitif, zum Beispiel einen *vin de noix* (Rezept S. 262). Gefüllt mit Stopfleber *(foie gras)*, sind die Pflaumen auch die wichtigste Zutat des berühmten französischen Festtagsgerichts *oie farcie aux pruneaux d'Agen fourrés au foie gras*: Gans, gestopft mit Backpflaumen, die mit *foie gras* gefüllt sind.

Pruneaux en chemise (Backpflaumen im Schlafrock)
Jede Backpflaume mit einer dünnen Speckscheibe umwickeln (die Scheibenenden sollten einander überlappen), zu große Überstände abschneiden. Die so umwickelten Pflaumen mit den Speckenden nach unten auf ein mit Backpapier ausgelegtes Backblech legen. In den auf 180° C (Umluft 160° C, Gas Stufe 2) vorgeheizten Ofen schieben und ungefähr 10–15 Min. backen, bis der Speck goldbraun angeröstet ist.

Pruneaux fourrés de foie gras (Backpflaumen mit Stopfleberfüllung)
Jeweils 1 TL *foie gras* in jede Backpflaume streichen. Beide Pflaumenhälften leicht zusammendrücken, um die Füllung darin zu verschließen.

CRÈME BRÛLÉE AUX TRUFFES

Crème brûlée mit Trüffeln

FÜR 4 PERSONEN
FÜR 4 SOUFFLÉFÖRMCHEN UND EINE BREITE AUFLAUFFORM ODER EINEN FLACHEN BRÄTER

- 500 ml süße Sahne
- 1 Périgord-Trüffel, klein gehobelt
- 4 Eigelbe
- 60 g Puderzucker

Ofen auf 160° C (Umluft 140° C, Gas Stufe 1) erhitzen. In einer Pfanne Sahne mit drei Viertel der Trüffelspäne oder -scheibchen aufwallen lassen. Eigelbe mit 10 g Puderzucker in einer halbrunden Rührschale (für ein Wasserbad) schaumig schlagen. Heiße Sahne zugeben und zu einer Creme verrühren. In einem Topf, in den die Rührschale passt, etwas Wasser zum Sieden bringen, die Rührschale einsetzen. Im Wasserbad (siehe dazu *Brunos Küchennotizen*, S. 301) bei mittlerer Hitze die Creme mit einem Holzlöffel rühren. Darauf achten, dass sie nicht stockt. Sobald die Creme am Löffel haften bleibt, sie in Souffléförmchen geben.

Souffléförmchen in eine breite, mit kochendem Wasser halbhoch gefüllte Auflaufform oder einen flachen Bräter stellen. Für 5–8 Min. in den Ofen schieben. Auf der Oberfläche der Creme sollte sich eine Haut gebildet haben. Förmchen aus der Auflaufform nehmen, abkühlen lassen und danach für mehrere Std. oder, besser noch, über Nacht im Kühlschrank kalt stellen. Ca. 4 Std. vor dem Servieren Ofengrill vorheizen. Förmchen mit dem restlichen Puderzucker bestreuen und zurück in die, diesmal mit kaltem Wasser und Eiswürfeln halbhoch gefüllte Auflaufform stellen. Auflaufform unter den Ofengrill stellen. Die Heizstäbe sollten mindestens 10 cm von den Förmchen entfernt sein, so dass der Zucker schmelzen kann, ohne dass die Creme stockt. Ist der Zucker angebräunt und karamellisiert, Förmchen wieder abkühlen lassen und danach mindestens 4 Std. im Kühlschrank kalt stellen.

Unmittelbar vor dem Servieren je 1–2 restliche Trüffelscheibchen über die karamellisierte Creme hobeln.

GÂTEAU AUX MARRONS

Maronenkuchen

FÜR 8–10 PERSONEN
FÜR EINE SPRINGFORM,
Ø CA. 23 CM

- 250 g Zartbitterschokolade mit einem Kakaoanteil von mindestens 50%, in kleine Stücke gebrochen
- 250 g Butter, gewürfelt
- 250 g Esskastanien, geschält und gekocht
- 250 ml Vollmilch
- 4 Eier, getrennt
- 125 g Puderzucker
- Schlagsahne (optional)

Ofen auf 170° C (Umluft 150° C, Gas Stufe 1–2) vorheizen. Springform mit Backpapier auslegen. Schokolade und Butter im Wasserbad (siehe dazu *Brunos Küchennotizen*, S. 301) sehr langsam erhitzen. In einem Topf die Esskastanien in der Milch vorsichtig köcheln lassen, bis sie weich sind, dann mit einem Mixstab oder Kartoffelstampfer pürieren. In einer ausreichend großen Schale die Eigelbe mit dem Puderzucker sämig schlagen, dann die Schokoladenmischung und das Maronenpüree einrühren. Eiweiße steif schlagen und unter den Schoko-Maronen-Teig heben. Den Teig in die Springform gießen und 25–30 Min. backen, bis er angedickt ist. Er wird sich beim Abkühlen noch weiter verfestigen. Soll der Kuchen warm serviert werden, ihn aus der Springform nehmen, wenn er noch nicht ganz abgekühlt ist, und vorsichtig aufschneiden, da der Kuchen fast so weich wie eine Mousse ist. Anderenfalls ganz abkühlen lassen, dann ist er fester.

Je nach Wunsch wird der Kuchen mit oder ohne Schlagsahne serviert.

GELÉE DE CYNORRHODONS ET POMMES

Hagebutten-Apfel-Gelee

FÜR 8 GLÄSER À 225 ML UND EINEN GROSSEN EMAILLETOPF

- 1,5 kg Kochäpfel oder wilde Holzäpfel, gewaschen, mit Schale grob zerschnitten
- 500 g Hagebutten, ohne Stiel und Blätter, in der Küchenmaschine zerkleinert
- Zesten und Saft einer gründlich gewaschenen Zitrone
- 900 g Zucker
- 1,2 l Wasser
- 1 Musselintuch

Bruno hatte seine Bedenken, als Pamela ihm einen englischen Klassiker schmackhaft machen wollte: geröstetes Schweinefleisch mit Hagebutten-Apfel-Gelee. Sie legte Wert auf die Feststellung, dass es keine englische Spinnerei sei, süße Früchte zu Fleisch zu essen. Bruno serviert eine *magret de canard* auch gern mit einer Sauce aus Schwarzen Johannisbeeren (siehe Rezept S. 116). Mittlerweile freut sich Bruno auf die ersten Frosttage im Spätherbst, denn dann streift er mit seinem kleinen Bassethund Balzac durch den Wald und sammelt Hagebutten, um Pamelas Rezept nachzukochen.

Früchte mit Zesten, Zitronensaft und Wasser in einen Emailletopf geben und bei geringer Hitze köcheln lassen, bis die Früchte weich sind. Ein Musselintuch mit kochendem Wasser übergießen, um es zu sterilisieren. Ein Sieb damit auskleiden, Fruchtmus einfüllen und mindestens 12 Std. bzw. über Nacht in einen großen Emailletopf abtropfen lassen. Nicht mit Druck nachhelfen, weil das Gelee sonst eintrüben könnte. Den abgetropften Saft – er wird eine Menge von ca. 1,2 l ergeben – langsam zum Kochen bringen. Wenn am Topfrand Blasen aufsteigen, den Zucker zugeben (pro 100 ml Saft rechnet man 75 g Zucker) und umrühren, bis er sich aufgelöst hat. Danach ohne umzurühren bei hoher Hitze 9–10 Min. eindicken lassen. Hat sich Schaum gebildet, diesen abschöpfen. Die eingedickte Flüssigkeit schnell in die sterilisierten Gläser einfüllen und fest verschließen. Das Gelee hält sich ca. ein Jahr.

Brunos Tipp: Als Dessert lässt er sich mit einem Klecks *crème fraîche* in einem Weinglas servieren, sonst zu geröstetem Schweinefleisch oder als Brotaufstrich. Bevor der Saft eingekocht wird, für den Geliertest eine Untertasse ins Eisfach legen. Fängt der Saft zu stocken an, ein paar Tropfen auf die kalte Untertasse geben. Bleibt der eingedickte Saft haften, ohne zu verlaufen, kann er in die Gläser gefüllt werden. Andernfalls weiter einkochen. Für ein Dessert eignet sich auch eine zähfließende Sauce. Im Glas gelagert, wird das Gelee mit der Zeit fester.

LE VIGNERON

Der Winzer

HAUT-MARBUZET
SAINT-ESTEPHE CRD
2007
FR-AQ-10238
HT DB
12Blles
CHATEAU
HAUT-MARBUZET
SAINT-ESTEPHE CRD
2007
FR-AQ-10238
HT DB
12Blles
CHATEAU
HAUT-MARBUZET
2007
SAINT-ESTÈPHE
PRODUCE OF FRANCE
H. DUBOSCQ & FILS
MIS EN BOUTEILLES
AU CHATEAU

NOISETTE
NOISETTE

Der Winzer

Gott hat nur Wasser erschaffen,
doch der Mensch machte den Wein.
Victor Hugo

Bruno liebt Wein, trinkt fast täglich das eine oder andere Glas, genießt es, neue Sorten zu probieren, und schätzt sich glücklich, im Périgord eine so große Auswahl davon zu haben.

Da wäre zum Beispiel der süße, goldene Monbazillac, den *le bon Dieu* in seiner Weisheit Mönche von Saint-Martin zur Begleitung von *foie gras* hat keltern lassen. Ferner haben wir hier die mineralischen Pécharmant-Rotweine, die klaren, trockenen Weißweine aus Montravel, die kräftigeren, komplexen Weißweine aus Saussignac, die sanften, verführerischen Roten aus Sigoulès und die galanten, kräftigen Roten aus Montravel, die sich mit den Nachbarn in Saint-Émilion dieselbe Lage teilen. Und aus der großen Region Bergerac stammen alle möglichen Weine, von den trockenen Bergerac-Sec-Weißweinen bis hin zu herrlich frischen Rosés, die selbst trübe Tage sommerlich aufheitern, den Blanc-Moelleux (süße Weißweine) der Appellation Rosette, die sich hervorragend als Aperitifs eignen, und Rotweinen jeglicher Couleur und Qualität.

Wie die Bordeaux-Weine sind auch die meisten Roten von Bergerac ein Verschnitt aus den Rebsorten Cabernet Sauvignon und Merlot. Hinzu kommt meist eine kleine Menge Cabernet Franc. Manchmal wird auch ein wenig Côt hinzugefügt – so der heimische Name für die Malbec-Traube, die schon seit langem die Grundlage für den Schwarzen Wein von Cahors bildet. Merlot und Cabernet Sauvignon sind wie geschaffen für einen Blend, schon deshalb, weil die Cabernet nach der Merlot ausreift und sich dem Winzer so die Chance einer gestaffelten Ernte bietet. Die auf Kiesböden gedeihende Cabernet ist eine robuste Traube mit relativ dicker Haut, resistent gegen Krankheiten und reich an Tanninen, was sie haltbar macht. Die Rebsorte Merlot liebt lehmige Böden und bildet fleischige, samtige Beeren aus, die den etwas rauheren Geschmack des Cabernet Sauvignon ausgleichen.

Cabernet Franc ist eine ältere Sorte. DNA-Untersuchungen haben nachgewiesen, dass der Cabernet Sauvignon im 17. Jahrhundert aus einer Kreuzung von Sauvignon Blanc und Cabernet Franc hervorgegangen ist. Angeblich ließ Kardinal Richelieu Cabernet-Franc-Rebstöcke aus Saint-Émilion im Loire-Tal anpflanzen, aus deren Trauben nun die köstlichen leichten Weine von Bourgeuil gekeltert werden. Der üblichen Cabernet-Merlot-Cuvée verleiht der Cabernet Franc eine gewisse Frische und einen feinen Beigeschmack von Pfeffer und Schwarzen Johannisbeeren.

Die Weißweine werden aus Trauben der Sorten Sauvignon Blanc, Sémillon und Muscadelle gekeltert. Sauvignon Blanc ist sehr anpassungsfähig und wächst darum fast überall. In kühleren Gegenden haben die Sauvignons Blancs manchmal eine grasige, grüne Note. Sorgfältig produziert aber, sind die Sauvignons von der Loire oder der Steiermark oft interessanter als die oft zu vollmundigen aus südlicheren Destinationen. Die Anbaugebiete im Südwesten Frankreichs bilden, klimatisch betrachtet, die goldene Mitte; ihre Lage – eine glückliche Mischung aus Kies und Sand, Lehm und Flint – bringt aus den Früchten das Beste hervor. Sémillon-Beeren sind süß, haben eine goldgelbe Farbe und neigen zur Edelfäule Botrytis, der so großartige Dessertweine wie Sauternes, Barsac und Montbazillac ihren einzigartigen Charakter verdanken. Mit Sauvignon Blanc geht Sémillon eine wunderbare Verbindung ein. Die Sorte Muscadelle, oft auch Cadillac genannt, bringt blasse gräuliche Trauben mit süßem Saft hervor, der den meisten Weißweinen nur in kleinen Mengen beigemengt wird. Allein der Monbazillac des legendären Weinguts Tirecul-la-Gravière besteht aus 50 Prozent Muscadelle, 45 Prozent Sémillon und nur 5 Prozent Sauvignon Blanc.

Es grenzt an ein Wunder, wie viele Aromen und Bouquets aus diesen wenigen Sorten je nach Verschnitt gewonnen werden – und wie groß die Unterschiede sind,

was Qualität und Preis betrifft. Gehen Sie im Périgord mit einer 5-Liter-Ballonflasche oder einem 10-Liter-Kunststoffkanister zu irgendeiner Kooperative oder in einen Weinkeller und zapfen Sie dort Ihren täglichen Bedarf für weniger als zwei Euro pro Liter. Auf jedem Markt sind in 3- oder 5-Liter-Containern weiße oder rote Bergerac-Weine ebenso günstig zu haben. Aber Sie können auch fast fünfzig Euro für eine sehr rare »Anthologia« des Weinguts Tour des Gendres hinblättern oder das Doppelte für eine kleine 50-cl-Flasche Monbazillac der majestätischen Cuvée Madame von Château Tirecul-la-Gravière.

Ein Großteil der Bergerac-Weine wird in Kooperativen gekeltert und über Supermärkte als Tafelwein für ungefähr drei Euro pro Flasche vertrieben. Die Weine, die ich verkoste und genieße, liegen zwischen 5 und 15 Euro, da ich mich von erfahrenen Winzern davon habe überzeugen lassen, dass das Leben zu kurz ist, um sich mit weniger als guten Weinen zufriedenzugeben.

Man findet durchaus preiswerte Angebote. Ich habe eine Schwäche für die Weine der Domaine de la Vitrolle, im Vézère-Tal nicht weit von Limeuil gelegen. Das bezaubernde kleine Château, im Sommer 1944 ein geheimer Stützpunkt der Résistance unter der Führung von André Malraux, ist heute ein Hotel mit zwanzig separaten Ferienbungalows, umgeben von Obst- und Weingärten und mit weitem Blick über den Fluss. Es ist Schauplatz der *Bruno*-Folgen *Grand Cru* und *Delikatessen*. Sein Winzer John Alexander produziert bemerkenswert gute Merlot- und Sémillon-Weine für weniger als 5 Euro die Flasche.

Bruno und ich gönnen uns besondere Vorlieben, zum Beispiel die 2005er, 2009er oder 2010er Cuvée Grand Millésime von Château de Tiregand, das nur beste Jahrgänge anbietet; eine Flasche kostet knapp unter 20 Euro. Francis-Xavier de Saint-Exupéry, der Eigentümer des Châteaus, ist mir ein Freund geworden. Im Salon seines prächtigen Schlosses kredenzte er mir Proben seiner Weine, unter anderem welche aus den 1990er Jahren. Es war für mich eine Lehrstunde, in der ich die berühmte eisenoxidhaltige Lage herauszuschmecken versuchte, die einen großen Pécharmant ausmacht. Wir besuchten mehrere Weingärten und begutachteten das Wachstum junger Trauben. Ich probierte in seinem Keller Weine vom Fass und ließ mich in seine Experimente mit verschiedenen Mischungsverhältnissen von Cabernet Sauvignon und Merlot einweihen. Der Name »Tiregand« lässt sich übersetzen mit »den Fehdehandschuh hinwerfen« und geht zurück auf einen Seigneur des Schlosses, der im Mittelalter lebte und als streitlustiger Mann bekannt dafür war, dass er seine Widersacher gern zum Duell herausforderte. Heute ist das Château ein friedlicher und angenehmer Ort, an dem regelmäßig große Jazz-Festivals ausgetragen werden.

Bei aller Liebe zu Tiregand-Weinen kann ich der Versuchung nicht widerstehen, mir auch von der Konkurrenz ein Bild zu machen. Die wundervoll ausgebaute Grande Réserve der Domaine de Costes liegt in derselben Preisklasse. Für unter 10 Euro bekommt man aber auch schon eine Flasche Les Chemins de l'Orient, einen vollmundigen, subtilen Pécharmant, hergestellt von zwei Männern, die sich bei »Ärzte ohne Grenzen« im Einsatz in Afghanistan kennengelernt und angefreundet haben. Und die Cuvée Mirabelle von Château de la Jaubertie für 15 Euro ist ein spektakulärer Wein, der anfangs wie eine kalifornische *fruit bomb* auf der Zunge explodiert, dann aber am Gaumen vertiefte Aromen entwickelt, Noten von Schokolade und eine Spur Rauch. Die 2009er Cuvée Ortus von Château Belingard ist ein Côte de Bergerac, für den man um die 20 Euro bezahlt. Blind verkostet halten sie viele für einen wunderbar vollmundigen Rotwein aus dem kalifornischen Napa Valley.

Pierre Desmartis von Château La Vieille Bergerie begegnete ich erstmals bei einer Weinprobe in Paris. Dann besuchte ich sein Weingut, wo mich seine Cuvée Quercus Bergerac Sec ins Schwärmen brachte. Sie kostet nur 8,50 Euro und ist damit vielleicht der beste Wein, den man für einen solchen Preis bekommen kann. Sein roter Bergerac, abgefüllt in 5-Liter-Kanistern, kostet weniger als 3 Euro pro Liter, sein roter Quercus liegt verdientermaßen knapp unter 20 Euro. Auf der Pariser Weinmesse sind Desmartis' Weine dreimal in Folge mit einer Goldmedaille ausgezeichnet worden; auch im vierten Jahr stand er wieder an der Spitze, doch die Jury entschied schließlich, auch anderen eine Chance zu geben, und verlieh ihm stattdessen einen Exzellenzpreis.

Aufmerksam auf solche Weine werde ich zum Beispiel auf Weinmessen, anlässlich einer Verkostung, auf Empfehlung eines Sommeliers in diesem oder jenem Restaurant, ganz zufällig in einem Bistro, dank vorzüglicher Beratung im Maison des Vins in Bergerac und vor allem als Gast bei guten Freunden. Zum Beispiel machte mich Monique von der bezaubernden Weinbar Chai Monique in Le Bugue mit den vorzüglichen Weinen von David Fourtout von der Domaine des Verdots bekannt.

In dem unvergleichlichen Weinladen von Julien de Savignac in Le Bugue durfte ich schon an zahllosen Verkostungen teilnehmen. Patrick, der Eigentümer, und sein Sohn Julien haben mich so sehr inspiriert, dass ich ihrem Geschäft eine Sonderrolle im zweiten *Bruno*-Band – *Grand Cru* – einräumte und es einen »Weintempel« nannte. Ich pilgere oft dorthin und habe von den beiden unendlich viel gelernt. Was sie für die Bekanntheit und das Ansehen von Bergerac-Weinen geleistet haben, ist enorm. Sie stellen auch ihre eigenen Weine her, die ich ohne Einschränkung empfehlen kann, so etwa den vorzüglichen Clos l'Envège Monbazillac. Amélie, die Tochter des Hauses, leitet mit ihrem Mann Cédric das Gut Château Briand, wo ich mich zuerst von ihrem leichten, verspielten Roséwein betören und dann von ihren trockenen Weiß- und Rotweinen beeindrucken ließ.

Wie ich erfuhr, haben Amélie und Cédric das Gut von Gilbert Rondonnier übernommen, der es geerbt hatte und überzeugt davon war, dass dieses *terroir* zu schade sei, um nur Reben für die Kooperative von Sigoulès darauf anzubauen. Er machte sich daran, das Weingut zu veredeln und zu erweitern, und zog seinen Wein selbst auf Flaschen. Amélie und Cédric haben diesen Prozess fortgesetzt und produzieren heute vorzügliche Weine. Ihr Beispiel zeigt, was einzelne Winzer mit unermüdlicher Arbeit und Hingabe zu leisten imstande sind.

Ich verstehe es als Privileg, manche dieser *vignerons* kennengelernt und gesehen zu haben, mit wie viel Herz sie sich ihrer Arbeit und ihrem Land widmen und wie ihre Augen vor Stolz leuchten, wenn man ihren Wein probiert, für gut befindet und ein paar Flaschen kauft. Dank Julien erhielt ich Eintrittskarten für die große Vinexpo in Bordeaux, auf der Weine aus aller Welt vorgestellt werden. Ich besuchte sie mit meinem Freund Raymond, einem pensionierten Offizier der Gendarmerie, der während der Präsidentschaften von Mitterrand und Chirac mit Sicherheitsfragen betraut war und außerdem für den Geheimdienst SDECE arbeitete. Er ist eine sprudelnde Quelle faszinierender Geschichten und Anekdoten und somit der perfekte Trinkpartner. Nach einem Gang durch die riesigen Ausstellungshallen voll glitzernder Champagnerstände und schöner Frauen steuerten wir auf die Abteilungen Pécharmant und Bergerac zu. Dort trafen wir mit Francis-Xavier von Château de Tiregand zusammen und kosteten mit ihm von sämtlichen Pécharmants im Angebot.

Anschließend machten wir einen Abstecher in das Biozelt. Immer mehr der von mir bewunderten Winzer Bergeracs gehen dazu über, den Boden und die Rebstöcke ihrer Güter auf biologische Weise zu bewirtschaften. Diese Umstellung interessiert mich sehr, und so machte ich Bekanntschaft mit der Domaine de l'Ancienne Cure von Christian Roche. Wo früher Rinder weideten und Getreide angebaut wurde, reifen nun Trauben, aus denen einer der besten und samtweichsten Monbazillacs gekeltert wird, die ich kenne. Wir verkosteten im Zelt ein paar bemerkenswerte Weine, unter anderem von der Domaine des Costes und der schönen *réserve rouge* von Château Grinou. Dort trafen wir auch Jean-Marie Huré, den Gutsherrn von Château Tourmentine, der sich für seine charaktervollen Bergerac-Weine auch auf dem deutschen Markt starkmacht.

Schließlich begegnete uns auch noch Caroline Feely, eine entzückende Irin, die mit ihrem Mann Sean in der Finanzbranche tätig war, bis sich die beiden aus Dublin verabschiedeten, um ihren Traum vom Weinanbau zu verwirklichen. Sie übernahmen das Château Haut Garrigue in Saussignac und schlugen konsequent den biodynamischen Weg ein, wozu auch die Düngung des Bodens mit Hornspänen bei Vollmond um Mitternacht gehört. Ihre Weine sind eine Offenbarung, leicht und doch mit ausgeprägtem Körper, absolut sauber und gleichzeitig sehr komplex.

Raymond und ich verabredeten uns für einen Besuch auf ihrem Gut, das in Terroir Feely umbenannt worden ist. Nach langer Suche fanden wir ein schönes altes Haus mit einem phantastischen Blick über das Tal der Dordogne, hübsch eingerichtete Räume, in denen verkostet wird, und Rebstöcke, die von Unkraut umwuchert, aber kerngesund sind. Wir saßen im Garten, probierten verschiedene Weine, ließen uns aus dem Leben von Caroline und Sean erzählen und packten schließlich unseren Wagen voll mit Flaschen. Ich habe es mir übrigens nicht nehmen lassen, Carolines *Grape Expectations* zu lesen, ein faszinierendes und höchst unterhaltsames Buch über ihr Winzerinnendasein.

Die irische Regierung lässt auf Empfängen Weine von Terroir Feely ausschenken, der aufgrund seiner vorbildlichen *gîtes*, seiner Kurse in Sachen Weinverkostungen und sonstiger Angebote für Urlauber mit der Goldmedaille für den besten Weintourismus ausgezeichnet wurde. Caroline und Sean haben ihre Weine umbenannt in *Sincérité, Luminosité, Générosité* und *Résonance*, womit sie deren Charakter ausdrücken möchten. Sie sind alle großartig, aber meine Favoriten sind *Sincérité* sowie ein himmlischer Rotwein namens *Grâce*. Aus Liebe zum Wein und aus Neugier auf seine vielfältigen Möglichkeiten produzieren die Feelys nebenbei ein paar hundert Flaschen Schaumwein. Wenn ich solche Leute besuche und kennenlerne, stelle ich immer wieder fest, dass Wein für mich eine sehr persönliche Angelegenheit geworden ist. Trinke ich den Wein mir bekannter Hersteller, sehe ich ihre Gesichter und ihr Weingut vor mir, ihre Hände, die von schwerer Arbeit zeugen, und die Begeisterung für diese Arbeit in ihren Augen. Ich stelle mir vor, etwas von ihrem Wesen in ihren Weinen schmecken zu können: in Francis-Xaviers Pécharmant die Noblesse seiner aristokratischen Vorfahren; die Entschlossenheit der Feelys, sich dem Weinanbau und der Erziehung ihrer Kinder nach ihren ganz eigenen Vorstellungen zu widmen; oder Pierre Desmartis' tiefempfundene Hingabe an sein Land, dessen Möglichkeiten er zu erforschen versucht, damit es den bestmöglichen Wein hervorbringt.

Für mich sind die Weine von Bergerac also auch deshalb so attraktiv, weil ich inzwischen verstehe, dass die Zukunft dieses großen *vignoble* in den Händen einiger weniger bewundernswerter und engagierter Menschen liegt, die Wein nicht nur anbauen, sondern auch dafür leben, alle Welt davon zu überzeugen, dass sich ihre Produkte auf jedem Markt behaupten können.

Daniel Hecquet verkauft seine Weine in Chicago und China. Jean-Marie Huré von Château Tourmentine wirbt für seine unermüdlich in Deutschland. Eugene Shvidler, ein russischer Geschäftsmann, der sich in das Château Thénac verliebte und es kaufte, vertreibt inzwischen seine Produkte in Russland und China. Für die *London Times* sind seine Weine »den besten Bordeaux ebenbürtig«, was, wie ich glaube, auch auf andere hier erwähnte Weine zutrifft.

Der legendäre Bruno Bilancini aus Tirecul hatte gelobt, seinen Monbazillac nach traditioneller Art auszubauen. Schließlich forderte er den berühmten Weinkritiker Robert Parker heraus, ihn zu probieren, und wurde mit der sagenhaften Höchstbewertung von hundert Punkten belohnt.

Patricia Atkinson von Clos d'Yvigne ist eine der vielen Zugereisten, die sich um die Reputation der Bergerac-Weine verdient gemacht haben. Sie stellt nicht nur vorzügliche Weine her, sondern schreibt auch Bestseller *(The Ripening Sun. One Woman and the Creation of a Vineyard)* über ihre abenteuerliche Mission, den Ruf der Bergerac-Weine über die Landesgrenzen hinauszutragen.

Nach einer erfolgreichen Karriere als Sportreiterin produziert die gebürtige Norwegerin Katharina Mowinckel heute herrlich elegante Weine, die sie bis nach Japan verkauft.

Ein weiterer Brite von Bergerac ist Hugh Ryman, der das Château de la Jaubertie in ein wunderschönes Anwesen verwandelt hat und so gute Weine herstellt, dass ich mich auf die Suche nach seinem *maître de chai* machte, der die unvergleichliche Cuvée Mirabelle entworfen hat.

Bei dieser Gelegenheit lernte ich noch einen anderen Briten, Charles Martin, kennen, der trotz tapferer Anstrengungen sein Weingut Château La Colline infolge der Finanzkrise und aufgrund der schweren wirtschaftlichen Umstände des Weinanbaus aufgeben musste – aber nicht bevor ich ein paar Kisten seines hervorragenden Côté Ouest in meinem Weinkeller in Sicherheit bringen konnte, den ich mir unter den Steinstufen angelegt habe, die zu meinem *pigeonnier* – meinem Schreibturm – hochführen. Nur wenige Häuser in meinem Teil des Périgord sind unterkellert, weil der Grundwasserspiegel ziemlich hoch ist.

Ich finde es aufregend, diese kühnen Winzer zu beobachten, die kein Risiko scheuen, um dem Ruf der Bergerac-Weine wieder aufzuhelfen. Denn der hat über die Jahrhunderte unter der Rivalität des sehr viel größeren Nachbarn Bordeaux gelitten. Die cleveren *négociants* in Bordeaux nutzten die Nähe zum Meer aus und sorgten dafür, dass die Konkurrenz aus Bergerac nicht den Erfolg erntete, der ihr zugestanden hätte. Abgesehen davon musste das Anbaugebiet in den zweitausend Jahren seiner Geschichte etliche schwere Rückschläge verkraften.

Vor über 1900 Jahren, 96 n. Chr., befahl der römische Kaiser Domitian, die Weinberge der Gallier zu roden.

Die Winzer auf der italienischen Halbinsel fürchteten um ihre Pfründe und hatten kaiserlichen Schutz vor der Konkurrenz verlangt, die sich jenseits der Alpen herausbildete. Zwar überlebten die Weinberge der Gallier – einschließlich derjenigen, die an beiden Ufern der Dordogne lagen, also auf dem heutigen Anbaugebiet von Bergerac –, doch die Angriffe aus Rom waren nur der Auftakt zu zahllosen Nahtoderfahrungen, die die Winzer des Périgord über sich ergehen lassen mussten. So drangen etwa im Jahr 721 die Araber über die Pyrenäen nach Frankreich vor und verwüsteten die Weinberge.

Auf sie folgten marodierende Wikinger, die über die Flüsse kamen, dann im Mittelalter drei Jahrhunderte Krieg zwischen englischen und französischen Truppen und später die Verfolgung der Protestanten von Bergerac während der Religionskriege. Im 19. Jahrhundert verheerte eine Reblausepidemie die meisten Weingüter Europas, die den Schaden mit resistenteren Sorten aus Kalifornien und Südamerika auszugleichen versuchten.

Zur Zeit der Dritten Französischen Republik nutzten die Radikalsozialisten des Périgord ihren Einfluss, um der Region ein fast uneingeschränktes Monopol als Anbaugebiet der Gewinn versprechenden Wunderpflanze Tabak zu sichern. Die meisten Landwirte gaben den wenig lukrativen Weinanbau auf zugunsten der Erzeugung dieser in Europa neuen Feldfrucht, für die der Staat feste Preise garantierte.

Kaum hatten sich die Weinberge des Bergerac in der ersten Hälfte des 20. Jahrhunderts ein wenig erholt, machte der klirrend kalte Winter von 1956 den Aufschwung wieder zunichte. Viele *vignerons* beschlossen daraufhin, neue Rebsorten zu kultivieren und ihre Keltermethoden umzustellen, was aber nicht immer zu Verbesserungen führte. Manche suchten ihr Glück in der Massenproduktion für die neu entstandenen Supermärkte. Aus Bergerac kam nun eine Schwemme billigen Weins, der sich von anderer Massenware nicht mehr unterschied, und das schadete seinem Ruf.

In den 1980er Jahren machte sich eine neue Generation engagierter Winzer daran, an ruhmreiche Zeiten anzuknüpfen, denn die Geschichte Bergeracs war nicht ohne Glanz. König Heinrich III. von England gewährte den Weinbauern Bergeracs im Jahr 1250 das Recht, ihre Weine direkt nach England zu exportieren. So sicherte er sich die Loyalität der Region, die bis 1453 in englischer Hand blieb. Im Zuge der Religionskriege des 16. und 17. Jahrhunderts wurden viele der Protestanten unter den heimischen Winzern vertrieben. Sie flohen nach England und vor allem nach Holland, wo sie sich als Händler etablierten und Weine aus ihrer Heimat importierten. Auf Winzer aus Bergerac geht die Prädikatsbezeichnung *Cru* zurück, mit der sie die besondere Qualität ihrer für holländische Kunden produzierten Weine der sogenannten *Marques Hollandaises* bewarben.

Man kann heute noch eine Auswahl dieser Weine im Museum des Château de Monbazillac besichtigen. Ein niederländisches Schiff, das 1747 mit einer Fracht edelster Weine im Ärmelkanal unterging, wurde vor kurzem von Tauchern entdeckt, die ein paar Flaschen Monbazillac dieses Jahrgangs bergen konnten. Ihr Inhalt wurde auf der Vinexpo verkostet und für exzellent befunden; Kälte, Dunkelheit und Luftabgeschlossenheit am Meeresboden hatten ihn konserviert.

Was man in Bordeaux gern vergisst ist, dass die 1816 von der französischen Regierung erstmals in Auftrag gegebene *Topographie de Tous les Vignobles Connus* das Pécharmant auf eine Stufe stellte mit den Anbaugebieten von Pauillac, Margaux, Saint-Estèphe und Saint-Julien. Heute würde das kaum ein Weinproduzent in Bergerac ernsthaft behaupten. Trotzdem: Die Region holt auf, ihre Winzer geben sich große Mühe, mit den überlegenen Nachbarn gleichzuziehen.

Ein wichtiger Faktor dieser Entwicklung ist der zertifizierte Bioanbau, der zunehmend zum Markenzeichen der Region wird. Die Resultate sind nach meiner Einschätzung außerordentlich gut. Manche Methoden, insbesondere die biodynamische, die auf anthroposophische Ideen von Rudolf Steiner zurückgeht und zum Beispiel empfiehlt, eine mit Schafsgarbe ausgestopfte Hirschblase zu vergraben und Rebstöcke nach den Phasen des Mondes zu pflanzen und zu beschneiden, mögen hart an der Grenze zur Hexerei angesiedelt sein. Doch die Gesundheit der Trauben und die Qualität des Weins sprechen für sich. Außerdem haben statusbewusste Verbraucher aus Fernost die Preise für Premier-Cru-Weine aus Bordeaux dermaßen in die Höhe getrieben, dass Weine aus Bergerac eine nicht weniger qualitätsvolle, aber entschieden günstigere Alternative bieten.

Alternativen für Bergerac-Weine

Bruno ist seinem Bergerac-Wein sehr treu, trinkt aber gern auch Weine aus anderen Gegenden und sei es aus Neugier auf das, was er noch nicht kennt: englische Schaumweine, Sauvignon Blancs aus Neuseeland, Pinotages und Chenin Blancs aus Südafrika oder kalifornische Zinfandels.

Wenn Sie also den einen oder anderen der für die Menüs empfohlenen Weine in Ihrer Nähe nicht finden oder wenn es Ihnen zu umständlich ist, sie bei den jeweiligen Weingütern zu bestellen, die ich aufgelistet habe, können Sie natürlich auch auf akzeptable Alternativen ausweichen. Das Einfachste wäre, einen guten roten oder weißen Bordeaux oder statt eines Monbazillac einen edelsüßen Weißwein aus Sauternes auszuwählen.

Anstelle eines Bergerac Sec trinke ich gern einen Grünen Veltliner aus Österreich (obwohl dieser meist mit einem Chardonnay verglichen wird) oder einen Chasselas oder einen Petite Arvine aus der Schweiz oder einen Grauburgunder aus Deutschland.

Dort, wo ich einen Monbazillac empfehle, können Sie stattdessen eine Riesling-Trockenbeerenauslese probieren. Eine Alternative zum Monbazillac-Wein ist nicht leicht zu finden, doch Bruno würde auch einen guten Muskateller oder Tokajer nicht ausschlagen.

Dem empfohlenen roten Montravel oder Bergerac kommt jeder Cabernet Sauvignon oder Merlot recht nahe. Sehr gut fanden meine Freunde im Périgord auch die württembergischen Rotweine aus der Gegend um Stuttgart, die ich ihnen zum Verkosten mitgebracht habe (die Lemberger-Traube entspricht dem Blaufränkisch aus Österreich). Spätburgunder ist nur ein anderer Name für Pinot Noir und begleitet wie dieser am besten Wild oder Rinderbraten. Bruno hat auch schon einige sehr erfreuliche Fendants, Schweizer Weißweine aus der Chasselas-Traube, kennengelernt, die wunderbar zu einem Schweizer Käsefondue passen. An Schweizer Rotweinen haben mir einige Merlots aus dem Tessin gefallen, und dass der Dôle, wie es heißt, den Bourgogne Passetoutgrains sehr ähnlich ist, tut ihm keinen Abbruch.

Grundsätzlich gilt Brunos Regel, dass es keine gibt; trinken Sie, was Ihnen schmeckt.

MANCHONS D'AGNEAU À L'AIL ET AU MONBAZILLAC

Lammstelzen mit Knoblauch und Monbazillac-Wein

FÜR 4 PERSONEN
FÜR EINE GROSSE PFANNE
UND EINE GROSSE KASSEROLLE
MIT DECKEL

- 5 Knoblauchknollen, in einzelne Zehen aufgebrochen
- 2 Zwiebeln, eine in grobe Scheiben geschnitten, die andere gehackt
- 200 ml Monbazillac oder ein anderer weißer Süßwein
- 2 Zweige frischer Thymian
- 1 Lorbeerblatt
- 4 Beinscheiben vom Lamm, pariert (zum Parieren siehe *Brunos Küchennotizen*, S. 298)
- 40 g Entenschmalz oder 40 ml Olivenöl
- Salz
- Pfeffer aus der Mühle
- 1 großer Bogen Pergamentpapier

Knoblauch, gehackte Zwiebel, Monbazillac, Thymian und Lorbeerblatt in einer großen Schüssel verrühren und die Beinscheiben über Nacht darin marinieren lassen. Am nächsten Tag das Fleisch herausnehmen und mit einem Papiertuch trockentupfen. Marinade für später beiseitestellen. In einer großen Pfanne Entenschmalz bei mittlerer Hitze zum Schmelzen bringen. Beinscheiben auf beiden Seiten anbraten und auf einem Teller beiseitelegen. Temperatur zurücknehmen und in Scheiben geschnittene Zwiebel im verbliebenen Entenschmalz vorsichtig dünsten. Zusammen mit dem Thymian und dem Lorbeerblatt aus der Marinade und mit den Beinscheiben in eine Kasserolle mit Deckel umfüllen. Ofen auf 180° C (Umluft 160° C, Gas Stufe 2) vorheizen. Knoblauchzehen rundherum verteilen und die Marinade wieder zugießen. Mit Salz und Pfeffer würzen.

Einen großen Bogen Pergamentpapier zerknüllen und unter fließendes kaltes Wasser halten. In der Kasserolle lose auf die Beinscheiben legen, Deckel aufsetzen und 2 Std. im Ofen schmoren. Beinscheiben anschließend auf einem vorgewärmten Teller ruhen lassen. Bratensaft durch ein Sieb in ein Gefäß gießen. Knoblauch und Zwiebelscheiben um das Fleisch drapieren. Vom Sud so viel Fett wie möglich abschöpfen. Sud über das Fleisch gießen und servieren.

BLANC DE POULET AU VERJUS

Hühnerbrust mit Verjus

FÜR 4 PERSONEN
FÜR EINE KASSEROLLE

- 2 EL Pflanzen- oder Olivenöl
- 2 EL Entenschmalz oder Butter
- 4 Hühnerbrustfilets mit Haut
- 20 g Butter
- 1 Knoblauchzehe, fein gehackt
- 2 Schalotten, fein gehackt
- 125 ml *verjus* (dazu siehe *Brunos Küchennotizen*, S. 300)
- 250 ml Fleischfond (siehe *Brunos Küchennotizen*, S. 295 f.)
- 3 EL Sahne
- Salz
- Pfeffer aus der Mühle

Ofen auf 220° C (Umluft 180° C, Gas Stufe 4) vorheizen. In einer Kasserolle Öl und Schmalz bzw. Butter erhitzen, die Hühnerbrustfilets mit der Hautseite nach unten darin anbraten. Sobald die Hautseite goldbraun ist, Filets wenden, die Kasserolle ohne Deckel auf der mittleren Schiene in den Ofen schieben und die Filets 20 Min. garen. Zwischenzeitlich Butter in einer Bratpfanne bei mittlerer Hitze schmelzen und den Knoblauch sowie die Schalotten 1–2 Min. anschwitzen. *Verjus* zugießen, Hitze hochdrehen und auf die Menge von ca. 2 EL reduzieren. Den Bodensatz abschaben und in die Flüssigkeit einrühren. Hühnerfond zugießen und in 3–4 Min. auf 150 ml reduzieren. Sahne einrühren und bis zur gewünschten Konsistenz weiter einkochen lassen. Vom Herd nehmen und mit Salz und Pfeffer abschmecken.
Filets mit einem scharfen Messer diagonal in 2 cm dicke Scheiben aufschneiden und mit der Sauce übergießen.

DEVISSEZ EN LEVANT ET
Verjus
13,€50

PRUNEAUX À L'ARMAGNAC OU AU PORTO

Backpflaumen mit Armagnac oder Portwein

FÜR 6 PERSONEN
FÜR 2 STERILISIERTE EINMACHGLÄSER

- 350 g *pruneaux d'Agen* (ersatzweise auch andere Backpflaumen von ähnlicher Qualität)
- 500 ml Schwarztee
- 20 ml Armagnac – Portwein eignet sich aber ebenso gut
- 80–100 g Zucker
- Portwein zum Einlegen bzw. Konservieren (siehe *Brunos Tipp*)

Die glänzenden *pruneaux d'Agen*, die bergeweise auf den Märkten im Périgord feilgeboten werden, sind groß, weich und so saftig, dass sie in ganz Frankreich beliebt sind. Mit folgendem Rezept lassen sich Vorräte für unerwarteten Besuch anlegen. Außerdem bietet sich ein kleines Glas, gefüllt mit diesen alkoholischen Früchten, als schönes Geschenk für Freunde an.

Backpflaumen über Nacht in kaltem, kräftigem Schwarztee aufweichen lassen. Am nächsten Tag Tee abschütten und sterilisierte Einmachgläser bis zum Rand mit den Pflaumen beschicken. Damit diese Konserve den Namen *pruneaux d'Agen à l'Armagnac et au porto* verdient, sollte eigentlich zum Aufgießen auch ein echter Armagnac verwendet werden. Gläser fest verschließen. Achtung: Vor dem Konsumieren mindestens 3 Monate an einem kühlen, dunklen Ort verwahren. Zum Servieren pro Person 2–3 Pflaumen in ein Glas geben und bis auf halbe Höhe mit der Flüssigkeit aus dem Konservenglas begießen.

Brunos Tipp: Spirituoses Wirken
Gibt man auf die Pflaumen einen Klecks geschlagene Sahne, geschieht etwas Seltsames: Sobald die Sahne mit den alkoholischen Früchten in Berührung kommt, wird sie noch steifer und macht aus dem einfachen ein reichhaltiges, berauschend elegantes Dessert. Pflaumen in Armagnac einzulegen wäre für Bruno eine Verschwendung dieses edlen *digestifs*. Er würde sich mit einem preisgünstigeren Portwein begnügen und sagen, dass es besser sei, die darin eingelegten Backpflaumen später mit einem Glas Armagnac anzubieten. Dieser Weinbrand steht in einer besonderen Beziehung zum Périgord, denn er kommt aus der Gascogne weiter südlich. Dieselben holländischen Händler, die, ihre Kontakte zu den ansässigen Protestanten nutzend, Weine aus Bordeaux und Bergerac in Holland populär machten, begannen nach dem 15. Jahrhundert auch damit, Armagnac zu exportieren. Armagnac ist ein nur einmal destillierter Weinbrand; die für ihn verwendeten Weißweine werden in erster Linie aus vier Rebsorten gekeltert: Ugni Blanc, Folle Blanche, Colombard und Baco Blanc. Das Destillat, von dem es heißt, dass es so feurig und beherzt ist wie die Gascogner, hat eine lange, ruhmreiche Geschichte.

PÊCHES AU VIN ROUGE

Rotweinpfirsiche

FÜR 4 PERSONEN

- 4 große reife Pfirsiche oder Nektarinen
- 30 g Zucker
- 500 ml Pécharmant oder ein vergleichbarer trockener Rotwein, etwa Gamay oder Côtes du Rhône
- ½ Zitrone, davon die Zesten
- 1 Prise Muskat
- ½ cm Ingwer, fein gerieben
- Pfeffer aus der Mühle

Ganze Früchte in einer großen Schüssel mit kochendem Wasser übergießen. Nach ca. 1 Min. Wasser abschütten, Früchte mit kaltem Wasser abschrecken und häuten. In einem anderen Topf Zucker im Wein aufkochen, abkühlen lassen. Zitronenzesten, Muskat, Ingwer und Pfeffer unterrühren. Gehäutete Früchte achteln, in Weingläser geben und mit dem Wein begießen. Sofort servieren, weil sie sonst ihre frische Farbe verlieren.

Brunos Tipp: Das Gericht schmeckt auch wunderbar mit Nektarinen.

GRATIN DE FRAISES AU MONBAZILLAC

Erdbeergratin mit Monbazillac-Wein

FÜR 4 PERSONEN

- 4 Eigelbe
- 100 g Zucker
- 150 ml Monbazillac oder ein anderer süßer Weißwein
- 10 g Mehl
- 100 ml Schlagsahne
- 400 g Erdbeeren, gewaschen, entstielt, halbiert oder geviertelt

Ofen auf höchste Stufe vorheizen. Im heißen Wasserbad (siehe dazu *Brunos Küchennotizen*, S. 301) Eigelb mit Zucker schaumig schlagen. Monbazillac und Mehl zugeben und zu einer Creme verrühren. Darauf achten, dass die Creme nicht zu heiß wird und gerinnt. Rührschüssel in kaltes Wasser stellen und abkühlen lassen. Sahne schlagen und unter die erkaltete Creme heben.

Im Ofen die Grillfunktion anschalten. Erdbeeren auf einem ofenfesten Servierteller anrichten und mit der Creme beträufeln. Kurz unter dem heißen Grill anbräunen und sobald die Creme Farbe annimmt, sofort servieren.

PETITS POTS DE CHOCOLAT À L'ARMAGNAC

Kleine Schokoladentöpfchen mit Armagnac

FÜR 4–6 PERSONEN
FÜR EINEN BAR-MIXER
MIT DECKEL

- 200 g Zartbitterschokolade mit 70 % Kakaoanteil
- 250 ml Sahne
- 1 Ei
- 30 ml Armagnac, Grand Marnier oder Cointreau (optional)

Schokolade in kleine Stücke brechen. In einem kleinen Topf Sahne kurz aufwallen lassen und vom Herd nehmen. Mit der Schokolade in den Bar-Mixer geben, Deckel gut verschließen und mixen, bis sich die Schokolade aufgelöst hat. Das Ei zugeben, den Deckel wieder aufsetzen und erneut mixen. Falls Alkohol gewünscht wird, zum Schluss zugießen und untermischen. In Weingläser gefüllt für mindestens 4 Std. in den Kühlschrank stellen. Mit einem Kännchen Sahne servieren, um nach Belieben nachschenken zu können.

Wer keinen Bar-Mixer hat, kann die Schokoladenstücke auch bei geringer Temperatur unter ständigem Rühren mit einem Schneebesen in der heißen Sahne zergehen lassen. Sobald die Creme Blasen zu schlagen anfängt und sich die Schokolade vollständig aufgelöst hat, Topf vom Herd nehmen und wie oben beschrieben weiterverfahren.

Brunos Tipp: Wenn Kinder mitessen wollen, kann man das Rezept auch wunderbar ohne Alkohol zubereiten.

CLAFOUTIS

Clafoutis

FÜR 4–6 PERSONEN
FÜR EINE FLACHE AUFLAUFFORM

- 50 g Butter
- 150 g Pflaumen, halbiert und entsteint
- 120 g Mehl
- 1 Prise Salz
- 90 g Zucker
- 3 Eier
- 250 ml Milch
- 2 EL Armagnac oder Rum oder 1 TL Vanilleextrakt

Ofen auf 180° C (Umluft 160° C, Gas Stufe 2) vorheizen. Die Auflaufform mit Butter einfetten und die Pflaumenhälften mit der Schnittfläche nach unten darauf verteilen. In einer großen Schale Mehl, Salz und Zucker mischen. Ein ganzes Ei in die Milch schlagen, dazugeben. 2 Eigelbe in den Teig rühren, dann die zerlassene Butter und den Rum oder Vanilleextrakt, schließlich die steif geschlagenen Eiweiße unterheben. Den Teig über die Pflaumen gießen und 5 Min. backen, dann Hitze auf 150° C (Umluft 130° C, Gas Stufe 1) reduzieren und weitere 25 Min. backen. Mit einem Kännchen Sahne servieren.

Brunos Tipp: Bruno bevorzugt für dieses Dessert Reineclauden, eine gelbgrüne Edelpflaume, deren Reifezeit nur sehr kurz ist. Gern verwendet er auch in der Nähe seines Hauses gedeihende wilde Mirabellen, obwohl es mitunter Mühe macht, sie zu entsteinen. Aber es empfehlen sich durchaus auch andere Pflaumensorten, selbst Kirschen.

VIN DE NOIX

Walnuss-Wein

FÜR 12 WEINFLASCHEN
FÜR EINEN GROSSEN
GLAS- ODER EMAILLETOPF

- 50 grüne Walnüsse, vor dem 21. Juni geerntet, samt grüner Hülle in Viertel zerhackt
- 500 g Zucker
- 8 l einfacher Rotwein
- 1 l *eau de vie*, ersatzweise auch preisgünstiger, hochprozentiger Brandy oder dunkler Rum

Ein Glas *vin de noix*, zu *pruneaux en chemise* oder *pruneaux fourrés de foie gras* (beide Rezepte S. 231) gereicht, ist einfach etwas Herrliches. Im Périgord wachsen überall Walnussbäume. Aus den Nüssen wird ein Öl gepresst, das sich ganz vorzüglich für Salate eignet. Aus ihnen lässt sich außerdem ein Getränk herstellen, das weniger wertvolle Weine auf wundersame Weise veredelt.

Für den klassischen *vin de noix* die Walnussviertel samt grüner Hülle zusammen mit dem Zucker, dem Rotwein und dem *eau de vie* (im Périgord bekannt als *asgniol*) in einen großen Glas- oder Emailletopf geben. Umrühren, abdecken und an einem dunklen Ort mindestens 42 Tage ruhen lassen. Für gewöhnlich rühre ich einmal in der Woche um. Durch ein Sieb filtern und in Flaschen füllen.

Brunos Tipp: Eine etwas leichtere Variante ergibt sich aus Weißwein statt Rotwein. *Vin de noix* ist vielfältig verwendbar. Er lässt sich als Aperitif oder nach dem Essen als *digestif* genießen. Mit einer Prise Zimt, einem Spritzer Orangensaft und heiß gemacht, wird im Winter aus ihm ein Glühwein. Und im Sommer ist er mit Eis, Mineral- oder Tonic-Wasser und einer Orangenscheibe der perfekte Longdrink für einen lauen Abend auf der Terrasse. In kleinen Mengen (Vorsicht, sehr süß) kann er Suppen und Eintöpfe verfeinern, und in einem Topf auf heißer Flamme bis auf die Hälfte reduziert, schmeckt er köstlich auf einer Vanilleeiscreme. Außerdem verwandelt er einen gewöhnlichen Salat in eine Walnuss-Rhapsodie.

VINDENOIX
2011
2011
BERGERAC

SUD OUEST
Bergerac
Cinq arrestations après l'incendie
BERGERAC/SARLAT

SUGGESTIONS DE MENUS

Menüvorschläge

Für alle Menüs gilt, dass vor dem Dessert eine Käseplatte gereicht wird. Im Périgord garniert man sie gern mit Dörraprikosen, Weintrauben und Walnusskernen.

1

MENU DU PRINTEMPS

Frühlingsmenü

Asperges fraîches mimosa / Spargel Mimosa
Truite en papilotte / Forelle im Päckchen

ou / oder

Aiguilettes de canard miel et moutarde / Entenfiletstreifen an Honig-Senf-Sauce
Pommes de terre à la sarladaise / Kartoffeln nach Art von Sarlat
Tarte au citron / Zitronentarte

Dazu passt:
Weißwein – für den Spargel Bergerac Sec, Cuvée Lisa, Julien de Savignac;
für den Fisch Bergerac Sec, Château La Vieille Bergerie, Cuvée Quercus
Rotwein – für die Entenfiletstreifen Grâce, Terroir Feely
Dessertwein – Monbazillac, Blanche de Bosredon, Château Belingard

2

MENU D'ÉTÉ

Sommermenü

Méli-mélo de tomates façon d'autrefois / Tomatensalat nach Großmutterart
Poulet Henri IV / Huhn nach Art von Heinrich IV.
Gratin de fraises au Monbazillac / Erdbeergratin mit Monbazillac-Wein

Dazu passt:
Weißwein – Cuvée Luminosité, Terroir Feely, Château Haut Garrigue
Rotwein – Cuvée Imagine, Château de la Mallevieille
Dessertwein – Côtes de Bergerac Moelleux, Cuvée les Matinées de l'Automne, Château Tour des Gendres

3

MENU BARBECUE

Sommerpicknick

Quiche périgourdine / Quiche nach Art des Périgord
Brochettes d'agneau aux abricots / Grillspieße mit Aprikosen
Oignons nouveaux grillés / Gegrillte Frühlingszwiebeln
Salade mesclun du ramasseur / Salat mit wilden Kräutern
Méli-mélo de fruits d'été (fraises, framboises, abricots, myrtilles, nectarines, pêches du marché) avec crème anglaise
Sommerfrüchte (frische Erdbeeren, Himbeeren, Aprikosen, Blaubeeren, Nektarinen, Pfirsiche) mit Vanillecreme

Dazu passt:
Weißwein – Bergerac Sec, Fleur du Périgord, Château Thenac, 2013
Roséwein – Bergerac rosé, Château Calabre, 2013
Dessertwein – Saussignac moelleux, Terroir Feely, Premier Or, 2010

Zu einem sommerlichen Grillfest passt natürlich immer auch ein gutes Bier oder ein trockener Cider.

4

MENU D'AUTOMNE

Herbstmenü

Terrine de foie gras / Leberterrine
Carré de porc aux pommes / Schweinerückenbraten mit Äpfeln
Petits pois et carottes / Erbsen und Karotten
Croustade d'abricots / Aprikosenpastete

Dazu passt:
Weißwein? Nein! – Monbazillac mit *foie gras*
Rotwein – Pécharmant, Château de Tiregand
Dessertwein – Monbazillac, Clos l'Envège, Cuvée Henri IV, Julien de Savignac

5

MENU D'HIVER

Wintermenü

Moules à la périgourdine au Bergerac Sec / Miesmuscheln Bergerac
Sauté de sanglier aux baies de genièvre et au pain d'épices / Wildschwein in Wacholder-Gewürzkuchen-Sauce
Fricassée de fèves / Bohnenfrikassee
Moelleux au caramel / Warme Karamellküchlein mit flüssigem Kern

Dazu passt:
Weißwein – Montravel Sec, Cuvée Comtesse de Ségur, Château Laulerie, 2013
Rotwein – Pécharmant, Cuvée Grande Réserve, Domaine des Costes, 2005, 2009
Dessertwein – Premier Or Saussignac, Château Haut Garrigue, 2010

6

MENU DE PÂQUES

Ostermenü

Vichyssoise et crème d'oseille / Kalte französische Kartoffel-Lauch-Cremesuppe und Sauerampfer-Cremesuppe
Manchons d'agneau à l'ail et au Monbazillac / Lammstelzen mit Knoblauch und Monbazillac-Wein
Pain de campagne / Französisches Landbrot

Ou / oder

Veau aux morilles / Kalbfleisch mit Morcheln
Petits pots de chocolat à l'Armagnac / Kleine Schokoladentöpfchen mit Armagnac

Dazu passt:
Weißwein – Cuvée Mirabelle Blanc, Château de la Jaubertie
Rotwein – Cuvée Mirabelle Rouge, Château de la Jaubertie
Dessertwein – Monbazillac, Château de la Jaubertie

7

MENU DES VENDANGES

Winzermenü

Cèpes & Cie en persillade / Steinpilze & Co. mit Knoblauch und Petersilie
Cailles rôties en feuilles de vigne / Gebratene Wachteln im Weinblatt
Méli-mélo de tomates façon d'autrefois / Tomatensalat nach Großmutterart
Gâteau meringué aux noisettes / Haselnusstorte nach Art des Périgord

Dazu passt:
Weißwein – Chevalier-Montrachet, Les Demoiselles, Domaine de La Vitrolle
Rotwein – Les Jardins de Cyrano, Cuvée Le Feuillardier, Julien de Savignac
Dessertwein – Château Thénac, Côtes de Bergerac Moelleux, 2009

8

MENU DE LA TOUSSAINT

Menü zu Allerheiligen

Langoustines à la nage / Kaiserhummer nach Art von Bordeaux
Lapereau aux pruneaux / Kaninchen mit Backpflaumen
Endives au miel / Chircoréegemüse mit Honig
Millassou au potiron / Süßer Kürbisauflauf

Dazu passt:
Weißwein – Bergerac Sec, Fleur de Lysée, Château Le Raz
Rotwein – Le Rouge et le Noir, Clos d'Yvignes
Dessertwein – Grands Vins les Verdots, Monbazillac

9

MENU PÉRIGOURDIN

Menü Périgord

Tourain blanchi à l'ail / Knoblauchsuppe nach Art des Périgord
Confit de canard / Enten-Confit
Pommes de terre à la sarladaise / Kartoffeln nach Art von Sarlat
Tarte aux noix / Walnusstarte

Dazu passt:
Weißwein – L'Adagio des Eyssards, Château des Eyssards
Rotwein – Pécharmant, Château de Tiregand, Grand Millésime, 2009
Dessertwein – Monbazillac, Château Tirecul la Gravière

10

MENU GRANDE TABLE

Menü für eine große Tafelrunde

Sobronade / Herzhafte Bohnensuppe
Bœuf à la périgourdine / Rindfleischschmortopf nach Art des Périgord
Pommes de terre à la sarladaise / Kartoffeln nach Art von Sarlat
Gâteau aux marrons / Maronenkuchen

Dazu passt:
Weißwein – Cuvée Roxane, Bergerac Sec
Rotwein – Cuvée Cyrano, Bergerac rouge
Dessertwein – daran spart Bruno nicht; er serviert zu solchen Anlässen
Monbazillac, Château de Monbazillac, 2009

11

MENU DU BOSSEUR

Menü für Schwerarbeiter

Cabécou au miel / Cabécou-Ziegenkäse mit Honig
Manchons d'agneau à l'ail et au Monbazillac / Lammstelzen mit Knoblauch und Monbazillac-Wein
Petits pois et carottes / Erbsen und Karotten
Pêches au vin rouge / Rotweinpfirsiche

Dazu passt:
Weißwein – Bergerac Sec, L'Épicuria de Tourmentine, Château Tourmentine
Rotwein – Côtes de Bergerac, Cuvée La Gloire de mon Père, Château des Eyssards
Dessertwein – Monbazillac, Cuvée Prestige, Château La Brie (eine Weinschule für die nächste Winzergeneration)

12

MENU TÊTE-À-TÊTE

Menü für Verliebte

Foie gras poêlé au miel et vinaigre / Leberpfanne mit einer Balsamico-Honig-Sauce
Noix de Saint-Jacques en persillade / Jakobsmuscheln mit Petersilie und Knoblauch
Magret de canard à la crème de cassis / Gebratene Entenbrust an Schwarzer-Johannisbeer-Sauce

Gâteau meringué aux noisettes / Haselnusstorte nach Art des Périgord

Dazu passt:
Als »Vin d'Amour« – Méthode traditionelle champenoise, Château Haut Garrigue
(manchmal auch bezeichnet als Terroir Feely)
oder Méthode Traditionelle, Domaine Les Graves, Gageac-Rouillac
Weißwein – Bergerac Sec, Cuvée Noblesse, Les Verdots selon David Fourtout, Vignoble des Verdots
Rotwein – Montravel, Cuvée Songe, Château Puy-Servain
Dessertwein – Monbazillac, Château Le Fagé, Grande Réserve 2011
(manchmal auch bezeichnet als Château de Géraud)

13

MENUS VÉGÉTARIENS

Vegetarische Menüs

I

Fricassée de fèves – sur pain de campagne grillé / Bohnenfrikassee – auf geröstetem Landbrot
Risotto aux champignons, poireaux et truffes / Risotto mit Champignons, Lauch und Trüffeln
Mousse au yaourt et coulis de fraises / Joghurt-Mousse mit Erdbeer-Coulis

Dazu passt:
Weißwein – Château Monestier La Tour, Terres Vieilles, 2012
Rotwein – Pécharmant, Château Corbiac, 2010
Dessertwein – Château Monestier La Tour, Saussignac

* *

II

Potage froid de légumes d'été Bruno / Kalte Gemüsesuppe nach Bruno-Art
Tarte Tatin aux oignons rouges et au fromage de chèvre / Tarte Tatin mit roten Zwiebeln und Ziegenkäse
Salade aux noix et aux pommes / Chicorée-Rucola-Salat mit Walnüssen und Äpfeln
Pruneaux d'Agen à l'Armagnac ou au porto / Backpflaumen von Agen mit Armagnac oder Portwein

Dazu passt:
Rosé – Château Briand, rosé, 2012
Rotwein – Château K, Bergerac rouge, 2011
Dessertwein – Monbazillac, Cuvée Quercus, Château de la Vieille Bergerie, 2010

* *

III

Gratin de poireaux au fromage / Lauchgratin (ohne Speck) mit Käse überbacken
Omelette aux truffes / Omelett mit Trüffeln
Petits pois et carottes / Erbsen und Karotten
Clafoutis / Clafoutis

Dazu passt:
Weißwein – La Divine Miséricorde, Château Montdoyen, 2009
Rotwein – Clos d'Yvigne, Le Rouge et Le Noir
Dessertwein – Clos d'Yvigne, Saussignac, 2005

NOTES
DE CUISINE
DE BRUNO

Brunos Küchennotizen

Bain-marie
siehe Wasserbad

Bärlauch *(ail des ours)*
siehe *persillade*

Binden *(lier)*

Zum Legieren von Suppen oder Saucen ein Eigelb in eine Schale geben und vorsichtig eine Tasse der heißen Suppe oder Sauce einrühren. Diese *liaison* langsam und unter ständigem Rühren in die heiße, aber nicht mehr kochende, Suppe oder Sauce geben. Weiter rühren, bis die Flüssigkeit die gewünschte Konsistenz angenommen hat. Man kann eine Suppe oder Sauce auch mit einer geschälten, fein geriebenen Kartoffel binden, wodurch die Flüssigkeit allerdings eine leicht griesige Konsistenz erhält und sich somit eher nicht für ein elegantes Gericht eignet.

Blanchieren

Blanchieren bezeichnet einen Arbeitsgang, bei dem Gemüse, Früchte oder auch Fleisch in kochendes Wasser gegeben und kurz darauf mit kaltem Wasser abgeschreckt werden. So lassen sich zum Beispiel grüne Bohnen auf den Punkt genau garen, wenn sie noch Biss haben sollen. Besonders gut eignet sich diese Methode auch für die Zubereitung von Spargel zu einem Salat mit Vinaigrette-Dressing oder von *haricots verts aux noix* (S. 219) als Kaltbeilage. Kurz gekocht und kalt abgeschreckt, behält grünes Gemüse seine frische Farbe. Um blanchiertes Gemüse sofort servieren zu können, empfiehlt sich eine reichliche Gabe Salz ins Kochwasser. Blanchiert werden auch Tomaten, Pfirsiche oder Trauben, um ihnen die Haut abzuziehen. Dazu bringt man Wasser zum Kochen, nimmt den Topf dann vom Herd und taucht die Tomaten oder Pfirsiche je nach Größe bis zu 2 Min. im heißen Wasser ein. Werden sie danach in kaltem, vorzugsweise mit Eiswürfeln zusätzlich abgekühltem Wasser abgeschreckt, lässt sich die Haut wie eine Socke abstreifen.

Brunos Tipp: Zum Häuten von Tomaten oder Pfirsichen ritzt er sie vor dem Blanchieren auf der Unterseite kreuzweise an.

Blindbacken *(cuire à blanc)*

Als Blindbacken bezeichnet man es, wenn Teig ohne Belag oder Füllung vorgebacken wird. Blindbacken verhindert, dass der Teig durchweicht. Backform einfetten, mit Teig auslegen, Rand etwas andrücken. Teigboden mit einer Gabel mehrfach einstechen, mit Back- oder Pergamentpapier belegen und mit getrockneten Erbsen, Bohnen, Kichererbsen, Kirschkernen o.ä. randhoch beschweren. So wird verhindert, dass sich Teigblasen bilden, der Teig bleibt schön glatt und flach. Den Teig im Ofen gemäß Rezept blindbacken. Der Blindbelag bzw. die Blindfüllung wird nach dem Backen durch den eigentlichen Belag bzw. die eigentliche Füllung ersetzt und je nach Rezept damit weitergebacken. Nach dem Blindbacken die Hülsenfrüchte aufbewahren, sie können immer wieder verwendet werden.

Braune Butter *(beurre noisette)*

Braune Butter, wegen ihres leicht nussigen Geschmacks auch Nussbutter genannt, ist ganz einfach herzustellen: Butter bei milder Hitze zum Schmelzen bringen und so lange köcheln, bis sie goldbraun ist. Bei diesem Prozess verdunstet das in der Butter enthaltene Wasser, während die Eiweißteile karamellisieren. Den entstehenden Schaum nicht abschöpfen. Die fertige braune Butter entweder sofort verwenden oder durch ein mit einem dünnen Baumwolltuch ausgelegtes Sieb in ein sterilisiertes Einmachglas geben. Im Kühlschrank ist braune Butter bis zu 4 Wochen haltbar.

Crème fraîche

Crème fraîche ist ein durch Milchsäurebakterien leicht gesäuertes Rahmprodukt mit einem Fettgehalt von 30–35 Prozent. Sie hat eine relativ feste Konsistenz, ist weniger dickflüssig, dabei jedoch fetthaltiger als Sauerrahm oder amerikanische *sour cream.* Dicker schlagen lässt sie sich nicht; im Gegenteil verflüssigt sie sich durch Aufschlagen zu einer dünnen Creme. Das Gleiche geschieht, wenn sie erhitzt wird.

Croustade-Teig façon Bruno

Französische *pâtissiers* bestehen bei der Zubereitung jeglicher Teigarten auf der Verwendung von ungesalzener Butter allerbester Qualität. Bruno weiß jedoch von den Großmüttern in Saint-Denis, dass einfaches, preisgünstiges Schmalz nicht nur einfach zu verarbeiten ist, sondern auch für eine *tarte* sorgt, die so leicht und kross ist wie Dezemberfrost. Von ihnen hat Bruno den Teig für seine rustikalen Obst-*croustades* und seine *Tarte Tatin aux oignons rouges et au fromage de chèvre* (Rezept S. 166) zuzubereiten gelernt.

- 180 g Mehl
- 120 g Schweineschmalz, in Wachspapier eingeschlagen und tiefgefroren
- 80–110 ml kaltes Wasser
- ½ TL Salz

Mehl in eine große Schüssel geben.

Gefrorenes Schmalz aus dem Gefrierfach nehmen, auspacken und mit Mehl rundum bestäuben. Schmalz mittels einer groben Käsereibe so schnell wie möglich auf das Mehl reiben. Schmalz immer wieder mit Mehl bestäuben, wenn es zu kleben anfängt. Mit einem Messer abschaben, was noch an der Reibe klebt. Mehl ebenfalls mit Hilfe des Messers mit dem Fett vermengen – nicht mit den Fingern. Eiswasser unter ständigem Rühren mit dem Messer vorsichtig über die Mehl-Fett-Mischung gießen. Erscheint die Masse noch zu trocken, löffelweise etwas mehr Wasser zugeben. Kugel formen, in einen Plastikbeutel geben oder in Wachspapier wickeln und für 30 Min. in den Kühlschrank legen.

Brunos Tipp: Es empfiehlt sich, den Schmalzblock mit dem Wachspapier festzuhalten, damit die warmen Finger nicht fettig werden. Die Hände kommen erst – und möglichst kurz – ins Spiel, wenn die Masse zu einer Kugel geformt wird.

Eier *(œufs)*

Wasser, in dem Eier gekocht wurden, sollte nicht weggeschüttet werden. Es enthält viele nützliche Mineralien. So kann man nach dem Abkühlen damit zum Beispiel Gemüsepflanzen wässern.

Enten- und Gänsemast in Frankreich

Die Mast von Enten und Gänsen, im deutschsprachigen Raum verboten, gehört im Périgord zu den wichtigsten Einnahmequellen. Auf jeder Speisekarte findet der Restaurantbesucher *confit de canard* (in Schmalz eingemachte Ententeile, die später gebraten oder gegrillt werden; siehe Rezept S. 119), *magret de canard* (gebratene Entenbrust, siehe Rezept S. 116) und natürlich *foie gras* (siehe Rezepte S. 127 und 231). Die Herstellung von *foie gras*, der Stopfleber von Enten und Gänsen, ist auch in Frankreich heftig umstritten. Doch schon im antiken Ägypten wurde sie hochgeschätzt, und durch Plinius den Älteren ist überliefert, dass Apicius, ein römischer Feinschmecker aus dem 1. Jh. n. Chr., Gänse mit Feigen gefüttert haben soll, um deren Leber zu vergrößern. In Frankreich wird heute nicht mit Feigen, sondern mit Mais gemästet. Wer im Périgord mit eigenen Augen sieht, wie die Geflügelbauern (alte, gebeugte Frauen in schwarzen weiten Kleidern, die bis auf die Holzpantinen hinabfallen, und alte Männer mit Gesichtern, die so runzelig sind wie Walnüsse) mit einem Eimer Mais in der einen und einem dreibeinigen Schemel in der anderen Hand auf die Weiden hinausgehen, wird wohl kaum den Eindruck gewinnen, dass hier Tiere misshandelt werden. Die Enten und Gänse kommen herbeigelaufen und streiten um den besten Futterplatz zwischen den Knien der Bauern, wo ihnen mittels eines Trichters die Maiskörner durch den Schlund gestopft werden. Zugegeben, allein die Formulierung dieses Vorgangs klingt abstoßend. Aber jeder Produzent und Veterinär weiß, dass Gänse und Enten keinen Würgereflex kennen. Mit Nachdruck gefüttert zu werden ist für diese Tiere nicht schmerzhaft. Ihre Speiseröhre ist wie bei vielen Vögeln sehr elastisch. Sie halten ihr Futter darin zurück, ehe es im Magen weiterverdaut wird. Manche wildlebenden Vögel schlucken ja auch ohne weiteres ganze Fische. Sicherlich nehmen die Umstände, unter denen *foie gras* produziert wird – d.h., ob die Tiere frei umherlaufen können oder in enge Käfige eingesperrt sind –, Einfluss auf ihr Befinden und letztlich auch auf die Qualität der Stopfleber. *Foie gras* von freilaufenden Tieren, wie sie in Spitzenrestaurants angeboten wird, setzt die Vögel bei weitem nicht solchen Quälereien aus, wie sie etwa Hühner in Legebatterien erleiden, und ist unvergleichlich schmackhafter als konservierte Stopfleber aus der Massenproduktion.

Enten- oder Gänseschmalz, kann das gesund sein? *(La graisse de canard ou d'oie est-elle bonne pour la santé?)*

Ich habe immer ein Einmachglas Entenfett im Kühlschrank. Damit bereite ich meinen *croustade*-Teig (siehe Rezept S. 293), meine Pilz-*persillade* (siehe Rezept S. 220), meine *pommes de terre à la sarladaise* (siehe Rezept S. 76) und viele andere hiesige Spezialitäten zu. Probieren Sie bei Ihrem nächsten Restaurantbesuch doch auch einmal ein Enten-Confit. Gemäß vieler unabhängiger Erhebungen ist Enten- und Gänsefett sehr gesund und rangiert in seiner Wertigkeit zwischen Butter und Olivenöl.

Erdbeeren *(fraises)*

In Frankreich schreiben die Frauen nicht einfach bloß »Erdbeeren« auf ihre Einkaufslisten. Sie kaufen Erdbeeren für einen bestimmten Zweck und wählen unter verschiedenen Sorten für unterschiedliche Rezepte aus. Die eine Sorte mag für die Zubereitung von Marmelade besonders geeignet sein, eine andere macht sich besser auf einer *tarte*, während eine dritte frisch verzehrt sein will, mit etwas Zucker und einem Klecks gesüßter Schlagsahne vielleicht.

Gariguette – mit ihrer länglichen Form ist sie eine der beliebtesten Erdbeeren Frankreichs, vielleicht weil sie meist in Gewächshäusern angebaut wird und schon ab März auf den Markt kommt.

Mara des bois – klein, mit starkem Walderdbeeraroma und fruchtiger Süße. Sie sollte weder gekocht noch zu Mus verarbeitet, sondern ihres intensiven Eigengeschmacks wegen so genossen werden, wie sie ist.

Anabelle – eine orangerot glänzende Erdbeere, saftig, sehr süß und fest im Fleisch, daher besonders gut für Marmeladen geeignet.

Charlotte – ihre Saison ist die

längste und dauert vom Frühsommer bis zum ersten Frost. Diese fruchtige, weiche Erdbeere mit Walderdbeeraroma eignet sich noch besser für Marmeladen, weil sie beim Kochen leichter zerfällt.

Von Pamela hat Bruno gelernt, dass man in England Erdbeeren mit dem Gabelrücken zerdrückt und ein wenig zuckert, bevor man sie isst. Auf diese Weise kommt der Erdbeergeschmack besonders gut zur Geltung. Bruno revanchierte sich mit seinem Rezept für Erdbeermarmelade.

Erdbeermarmelade *(confiture de fraises)*

Für 3 Gläser zu je 300 g:

- 1 kg Erdbeeren, gewaschen und entstielt
- 700 g Zucker
- 1 EL Zitronensaft

Gläser mitsamt Deckeln 20 Min. in kochendem Wasser sterilisieren. Erdbeeren mit dem Zucker in eine Glas- oder Porzellanschale (kein Metall) schichten. Mit Zitronensaft beträufeln, mit einem sauberen Geschirrtuch abdecken. 12 Std. ruhen lassen. Erdbeeren über einer Schüssel in ein Sieb geben und abtropfen lassen. Saft aufheben. Saft in einem Topf zum Kochen bringen und 10 Min. köcheln lassen. Dabei regelmäßig den Schaum von der Oberfläche schöpfen. Erdbeeren zugeben und 20–30 Min. köcheln lassen. Dabei wie oben den Schaum abschöpfen.

Nach 20 Min. 1 TL Marmelade auf einen kalten Unterteller geben, 1 Min. erkalten lassen und den Teller kippen. Verläuft die Marmelade, ist sie noch nicht fertig. In diesem Fall weitere 10 Min. köcheln lassen und die Gelierprobe wiederholen, bis sich die Marmelade auf dem Unterteller kaum mehr bewegt. Marmelade abkühlen lassen und in die Gläser abfüllen.

Brunos Tipp: Ideal zum Kochen der *confiture de fraises* wäre ein kupferner Topf.

Essig *(vinaigre)*

Die Kalkanteile des Gesteins, aus dem die Höhlen des Périgord herausgewaschen wurden, machen das hiesige Trinkwasser wie in anderen Regionen hart. Das darin enthaltene Kalzium setzt sich in den Kochtöpfen ab. Man behilft sich mit Essig und lässt die Kalkablagerungen eine Nacht darin aufweichen.

Fond *(bouillon)*

Das A und O der guten französischen Küche ist nach Brunos Überzeugung der Fond. Und der kommt nicht etwa aus der Tüte, sondern entsteht aus ausgekochtem Gemüse oder ausgekochten Knochen oder Hummerschalen.

Gemüsefond *(fond de légumes)* – Für vegetarische Gerichte oder Suppen lassen sich aus den folgenden Zutaten Gemüsefonds vorbereiten:

- 2 Zwiebeln, fein gehackt
- 2 Karotten, gewürfelt
- 2 Stangen Staudensellerie, gewürfelt
- 2 Petersilienzweige
- 5 Pfefferkörner
- 1 Lorbeerblatt
- 2 Zweige Thymian
- 1 TL Salz
- Wasser (so viel, dass das Gemüse davon bedeckt ist)

Für einen Gemüsefond einen EL Olivenöl in einem Topf mit schwerem Boden erhitzen, Gemüse zugeben, bei mittlerer Hitze und unter ständigem Rühren anschwitzen, dann mit Wasser bedecken und unter angekipptem Deckel 1 Std. köcheln lassen. Ist der Geschmack des Fonds nicht kräftig genug, Deckel abnehmen und Flüssigkeit bei erhöhter Temperatur reduzieren. Schließlich durch ein Sieb geben, abkühlen lassen und sofort verwenden oder einfrieren.

Brunos Tipp: Gemüsereste nicht wegwerfen, denn daraus kann man prima ebenfalls Gemüsefonds zubereiten.

Fleischfond *(fond de viande)* – Eine Karkasse (Ente, Gans oder Huhn), also das, was übrig bleibt, wenn Brust, Schenkel, Flügel und Kopf abgetrennt wurden, in 2 l kaltes Wasser geben und zum Kochen bringen. Bei Rind verwendet man 2 l Wasser pro kg Knochen. Bei Fisch 2 l Wasser pro kg Köpfe, Gräten und Schwänze. Innereien werden nicht verwendet. In jedem Fall hinzufügen:

- 2 Zwiebeln, fein gehackt
- 2 Karotten, gewürfelt
- 2 Stangen Staudensellerie, gewürfelt
- 2 Petersilienzweige
- 5 Pfefferkörner
- 1 Lorbeerblatt
- 2 Zweige Thymian
- 1 gestrichener TL Salz

Temperatur reduzieren, bis das Wasser nicht mehr kocht. Entstehenden Schaum abschöpfen. Zugedeckt mindestens 2 Std. köcheln lassen. Über Nacht ruhen lassen. Am Morgen die fest gewordene Fettschicht von der Oberfläche abschöpfen (Bruno mischt sie unter das Futter für seinen Hund). Fond durch ein Sieb gießen. Man kann den Fond bis zu 1 Woche im Kühlschrank aufbewahren, ihn aber auch einfrieren.

Brunos Tipp: Es wäre eine schreckliche Verschwendung, die Knochen eines Backhähnchens, einer Lammkeule, Rinderrippen oder auch eine Fischkarkasse, Krabben- oder Hummerschalen wegzuwerfen. Aus all diesen Resten lassen sich herrliche Fonds herstellen, die in Suppen und Eintöpfen wahre Wunder bewirken und auch pur genossen werden können und, da sie leicht und, gerade auch für Kranke bekömmlich sind.

Fond in einem Eiswürfelbehälter einfrieren. So lassen sich leicht handhabbare Portionen herstellen, die einer Suppe oder einem Risotto für 1–2 Personen untergerührt werden können.

Fricassée und *hachis*

Ein Geheimnis der Suppen und Eintöpfe des Périgord liegt in der magischen Verbindung mit zwei besonderen Rezepten, die ihnen zusätzlich Gehalt und Würze verleihen: Die *fricassée* und der *hachis*. Im Unterschied zum *mirepoix* (einer Komposition aus fein gehackten Karotten, Zwiebeln und Sellerie), das von Anfang an mitgekocht wird, gibt man im Périgord die *fricassée* und den *hachis* ganz zuletzt zum Gericht. Eine mittelgroße Karotte, eine Zwiebel oder eine Lauchstange reichen aus, um die *fricassée* auch als Beilage für das Hauptgericht zu verwenden. *Hachis* wiederum passt zu jeder Suppe und jedem Eintopf und sorgt für einen leichten Rauchgeschmack.

Für die *fricassée*:

Ein paar Scheiben beliebigen Gemüses vorsichtig in heißem Gänse- oder Entenschmalz schwenken. Mit Mehl bestäuben. Etwas Fond und Weißwein angießen. Der Suppe 30 Min. vor Ende der Garzeit zugeben.

Brunos Tipp: Einen kräftigeren Geschmack ergeben Rüben, Pastinaken, Sauerampfer oder Kürbis.

Für den *hachis*:

- 2 Knoblauchzehen, fein gehackt
- einige Zweige Petersilie
- 1 großzügiges Stück Schinken, fein gehackt
- Gänse- oder Entenschmalz

Alle Zutaten zusammen klein hacken und in Gänse- oder Entenschmalz andünsten.

Brunos Tipp: Statt Schinken kann man eine entsprechende Menge *lardons fumés*, 4–5 Scheiben durchwachsenen und in dünne Streifen geschnittenen Räucherspeck, nehmen.

Geflügelmägen *(gésiers)*

Ich mache immer wieder die leidvolle Erfahrung, dass meine ausländischen Freunde an Geflügelmägen, vor allem in traditionellen Gerichten aus dem Périgord, durchaus Geschmack finden, aber eine *salade de gésiers* nur dann zu probieren bereit sind, wenn ich ihnen verspreche, dass sie keine Mägen enthält. Zwar finde auch ich, dass sie in der Auslage des fahrenden Händlers auf dem Markt von Saint-Denis oder in den Konservendosen, die überall zu kaufen sind, eher wie Hundefutter aussehen. Aber schmecken tun sie ganz und gar nicht so. *Gésiers* werden zubereitet wie *confit de canard* – zuerst in Salz eingelegt, um ihnen Wasser zu entziehen, und dann langsam in Entenschmalz gegart, bis sie herrlich zart sind.

Gemüse-Julienne *(julienne de légumes)*

- 1 El Butter
- 1 große Karotte, geschält
- 1 große Zucchini, gewaschen
- 1 kleine Paprikaschote, gewaschen
- 1 Stück Lauch, gewaschen
- 1 Scheibe Knollensellerie, geschält
- Salz
- 2 EL Weißwein
- Petersilie zum Abschmecken

Alles Gemüse in möglichst feine, gleich große Streifen schneiden. In einem Topf die Butter zerlassen und das Gemüse in Portionen hineingeben und ca. 5 Min. unter Rühren leicht anschwitzen. Dann Salz und Weißwein hineingeben und verrühren, den Deckel auflegen und bei milder Hitze ca. 15 Min. ziehen lassen. Zwischendurch Geschmacksprobe machen, um die Bissfestigkeit zu prüfen. Mit Petersilie abschmecken.

Gewürznelken *(clous de girofle)*

Viele Kochrezepte aus dem Périgord, in denen ganze Zwiebeln Verwendung finden, schlagen vor, sie mit Nelken zu spicken. Schon eine einzige Nelke auf der Marmelade eines angebrochenen Glases verzögert die Schimmelbildung. Wenn im Périgord Hochzeit gefeiert wird, gehört es zu den Pflichten der Brautjungfer, der Braut eine Nelke zum Kauen zu geben, um einen frischen Atem zu garantieren. Ein wohltuendes Getränk im Winter ist erhitzter *vin de noix*, dem eine Nelke hinzugefügt wird. Zimt und eine Orangenscheibe sind ebenfalls willkommene Begleiter. Dieser Glühwein darf auf keinen Fall zum Kochen gebracht werden.

Heukasten *(cuisson à chaleur maintenue)*

Die Zubereitung von Eintöpfen oder Suppen wie zum Beispiel einer *sobronade* (Rezept S. 64) bietet Gelegenheit, mit einem Heukasten zu experimentieren. Zum Einsatz kommt ein Holzkasten in der Größe einer Weinkiste für 12 Flaschen. Dieser wird mit Heu ausgefüllt und in die Mitte eine Vertiefung gedrückt, in welche die verwendete Kasserolle passt, wobei zu allen Seiten hin eine Heuschicht von 5–10 cm bleiben sollte. Mit Heu zugedeckt, kann das erhitzte Gargut in der geschlossenen Kasserolle weitergaren.

Holunderblüten-Sirup *(Sirop de fleurs de sureau)* und Holunderblüten-Sekt *(Pétillant oder crémant de fleurs de sureau)*

Von Ende Mai bis Anfang Juni sieht man die Frauen von Saint-Denis an der Landstraße die weißen Blüten der Holunderbäume pflücken, die sie zu Sirup oder Sekt weiterverarbeiten. Auch Bruno nutzt im Frühling seine Spaziergänge mit Balzac, um die Blüten von Holunderbäumen zu pflücken und zu Sirup oder Sekt zu verarbeiten. Der richtige Zeitpunkt ist wichtig. Sie sollten gerade aufgeblüht und noch möglichst voller Pollen sein.

- 30 Holunderblüten
- 1,7 l Wasser
- 1,5 kg Zucker
- 50 g Zitronensäure
- 3 unbehandelte Zitronen, gewaschen und in feine Scheiben geschnitten

In einem sauberen Eimer oder einer großen Schale den Zucker im kochenden Wasser auflösen. Blüten, Zitronensäure und Zitronenscheiben zugeben. Umrühren und über Nacht ruhen lassen. Durch ein mit einem dünnen Baumwolltuch oder mit Küchenpapier ausgelegtes Sieb filtern. In sterilisierte Flaschen abfüllen und kühl lagern.

Brunos Tipp: 1 oder 2 EL Holunderblütensirup in einem Glas *pétillant* oder *crémant* ist eine erfrischende Alternative zu Kir oder Kir Royal, dem klassischen französischen Aperitif, der normalerweise *crème de cassis* enthält.

Für den Holunderblüten-Sekt:
- 700 g Zucker
- 4 l heißes Wasser
- 2 l kaltes Wasser
- 4 Zitronen, Zesten und Saft
- 2 EL Weißweinessig
- 15–20 Holunderblüten

In einer sauberen Schüssel oder einem Eimer Zucker in heißem Wasser verrühren. Kaltes Wasser hinzufügen. Zitronenzesten und -saft, Weißweinessig und Blütendolden hineingeben. Mit einem sauberen Tuch abdecken und an einem kühlen Ort insgesamt 6 Tage gären lassen. Wenn sich nach 2 Tagen noch kein Schaum gebildet hat, eine winzige Prise Hefe zusetzen. Am 6. Tag die Flüssigkeit durch ein mit einem Baumwolltuch ausgelegtes Sieb in einen sauberen Behälter umgießen und schließlich in sterilisierte Glasflaschen füllen, die fest verschlossen werden. An einem kühlen Ort lagern und mindestens noch eine Woche gären lassen. Dieser Sirup wird im Verhältnis 1:5 mit *pétillant* oder *crémant* aufgefüllt.

Katzenjammer *(gueule de bois)*

Nach einem weinseligen Abend trinkt Bruno vor dem Zubettgehen 1 l kaltes Wasser (ohne Eis). Am nächsten Morgen teilt er 2 unbehandelte Zitronen in Viertelstücke, presst den Saft in einen Topf, gibt 1 l Wasser hinzu und bringt die Mischung mitsamt den ausgepressten Zitronenstücken (die nützliche Öle enthalten) zum Kochen. Ist sie abgekühlt, trinkt er den ganzen Liter und fühlt sich gleich darauf wieder so wohl, dass er Appetit auf ein gutes Frühstück hat.

Kräuter *(herbes)*

Es lohnt sich, Kräuter für den Winter in Eiswürfelbehältern aufzubewahren; so lassen sie sich gut für eine Suppe oder ein Hauptgericht portionieren. Petersilie, Minze, Estragon, Koriander oder andere Kräuter unter kaltem Wasser abspülen, nicht nur um sie zu säubern, sondern auch, damit sie, wenn sie klein gehackt sind, verklumpen. So lassen sie sich besser in die Eiswürfelformen pressen.

Brunos Tipp: Knoblauch sollte man dagegen nicht einfrieren. Wer sich mit Basilikum-Pesto im Eisfach bevorraten möchte, sollte bei der Zubereitung zunächst auf Knoblauch verzichten, denn beim Gefrieren würde der Pesto eine bittere Note annehmen. Erst wenn man ihn bei Bedarf wieder aufgetaut hat, kann der Knoblauch beigegeben werden.

Kräutersträußchen *(bouquet garni)*

Ein *bouquet garni* – hier immer mit Kräutersträußchen übersetzt – ist ein gebundener Strauß frischer Kräuter zum Würzen von herzhaften Schmorbraten, Eintöpfen, Fonds, Saucen, Suppen und Fleischgerichten. Er wird entweder mit einem Faden zusammengebunden oder in ein festes Lauchblatt eingewickelt. *Bouquets garnis* aus getrockneten Kräutern lassen sich am besten in ein Baumwollsäckchen oder ein Teesieb füllen; sie werden als Ganzes mitgekocht und vor dem Servieren entfernt. Für gewöhnlich besteht das Sträußchen aus Lorbeerblättern, Thymian und Petersilie, aber je nach gewünschter Geschmacksrichtung lassen sich auch fast alle anderen frischen Kräuter verwenden, etwa Rosmarin, Basilikum, Estragon, Liebstöckel oder Bohnenkraut; Pimpernelle und Kerbel oder Dill passen gut zu Fisch. Und für ein Gericht aus Schweinefleisch kann Salbei hinzugefügt werden. Liebstöckel verleiht einen sellerieartigen Geschmack, der gut zu tomatenreichen Gerichten passt.

Mairüben *(navets)*

Mairüben in dünne Scheiben schneiden und in etwas Olivenöl andünsten. Das grob gehackte Mairübenlaub zugeben und unter ständigem Rühren zerfallen lassen. Mit Meersalz würzen und als Beilage zu gebratenem Fisch oder Fleisch servieren.

Marmeladen *(confitures)*

Wenn Marmelade in ihrem Gefäß auskristallisiert und fest wird, stellt man sie im Périgord mit dem Saft von ½ Zitrone für einige Min. in ein heißes Wasserbad und rührt sie dann um. Anschließend ist sie wie frisch gemacht. Die Franzosen machen so viel Marmelade ein, dass der Kostenvorteil geschmälert würde, wenn sie ausschließlich teure Einmachgläser verwendeten. Es lassen sich grundsätzlich alle Glasbehälter mit Schraubdeckel für Marmelade nutzen, vorausgesetzt, sie sind gründlich gewaschen und sterilisiert. Marmelade einfüllen (2 cm Luft lassen), Deckel fest aufschrauben und gestürzt lagern. Die Marmelade rutscht auf den Deckel, wodurch verhindert wird, dass Luft und Keime von außen eindringen können.

Mayonnaise

- 1 Eigelb, zimmerwarm
- 1 TL Senf
- Salz
- Pfeffer aus der Mühle
- 20 ml Essig
- 225 ml neutrales Öl, zimmerwarm

Eigelb mit Senf, Salz, Pfeffer und Essig verrühren. Eigelbmischung nun mit einem Schneebesen oder einem Handmixer schlagen und unter ständigem Schlagen tropfenweise das Öl zufügen, bis eine sämige Emulsion entsteht. Rezepte für Mayonnaisen führen häufig Olivenöl an. Dieses Öl hat aber einen sehr kräftigen Geschmack. Eine Mayonnaise, die daraus zubereitet wird, kann leicht bitter werden und die Aromen der Speisen, die sie nur begleiten soll, überlagern. Erdnuss-, Sonnenblumen- oder andere Pflanzenöle machen die Mayonnaise leichter. Kurz bevor die gewünschte Konsistenz erreicht ist, können ein paar Löffel Olivenöl zur Geschmacksverfeinerung untergerührt werden.

Mirepoix

Diese nach einem Marschall unter Ludwig xv. benannte Röstgemüsemischung wird aus gleichmäßig in möglichst kleine Würfel geschnittenem Wurzelgemüse (wie Karotten, Knollensellerie und Wurzelpetersilie) zubereitet. Beim Anrösten im erhitzten Fett verringert sich der Wassergehalt, und die Außenschichten des Gemüses trocknen aus. Durch die Hitzeeinwirkung wandelt sich die im Gemüse enthaltene Stärke in Dextrine, und die Zuckerstoffe karamellisieren: Es entstehen neue Farb- und Geschmacksstoffe. Bei der Zubereitung brauner Grundsaucen für Fleischgerichte wird das Röstgemüse *mirepoix* dem Saucenfond aus Schmorfleischstücken und gerösteten Knochen zugegeben.

Morcheln *(morilles)*

Morcheln sind dunkelbraune, kegelförmige Pilze mit wabenartig zerklüftetem Hut. Darum müssen sie besonders sorgfältig geputzt werden, denn frisch gepflückt, haften ihnen Moosfasern oder Krumen vom Waldboden an. Der auffallend fleischige Geschmack und die ungewöhnliche Textur der Morcheln machen sie zu einem beliebten Speisepilz. Sie sind nur schwer zu finden und auf dem Markt entsprechend teuer. Aber es lohnt sich, von einem Périgord-Besuch eine Packung getrockneter Morcheln mit nach Hause zu nehmen. Trocken gelagert halten sie bis zu 2 Jahre.

Parieren von Fleisch *(parer la viande)*

Auch wenn man sich nicht gleich an *aiguillettes de canard miel et moutarde* (S. 128) heranwagen möchte, lohnt es sich zu wissen, wie zum Beispiel Geflügelfleisch zu parieren ist. Das Repertoire der eigenen Möglichkeiten in der Küche erweitert sich um einiges, und es ist letztlich nicht allzu schwer, Hühnerschenkel, Fasan oder anderes Federwild zuzubereiten, wozu es eben auch gehört, das Fleisch zu entbeinen und von Sehnen zu befreien. Auf einer Arbeitsfläche das ausgewählte Fleisch so ausbreiten, dass das perlweiße Gewebe der Sehnen gut zu sehen ist. Die Spitze eines scharfen Messers unter die Sehne führen, möglichst so, dass das Fleisch darunter nicht beschädigt wird, und diese mit der Klinge längs dem Faserverlauf anheben. Es empfiehlt sich, ungefähr in der Mitte einer solchen Sehne anzusetzen, sie zum einen Ende hin abzutrennen, dann das Fleischstück zu drehen und in der selben Schneidrichtung fortzufahren. Rechtshänder werden es vorziehen, von der Mitte aus nach links zu schneiden.

Persillade (siehe auch Kräuter)

Eine *persillade* besteht aus Petersilie und Knoblauch in einem Verhältnis, das jeder nach Belieben zusammenstellen kann. Eine wunderbare Note verleiht sie Gerichten wie *Cèpes et Cie en persillade* (Rezept S. 220), *Noix de Saint-Jacques en persillade* (Rezept S. 88) oder *Pommes de terre à la sarladaise* (Rezept S. 76). Aber sie hebt auch den Geschmack von gegrillten Lammkoteletts oder Steaks. Eine *persillade*, der zusätzlich Zitronenzesten beigemengt werden, passt vorzüglich zu gedämpften Fischfilets oder Kaiserhummer. Sie kann in größeren Mengen zubereitet werden, denn sie lässt sich bis zu 6 Monate im Kühlschrank aufbewahren. Ein großes Bund Petersilie waschen und auf Küchenpapier trocknen. Zusammen mit beliebig vielen geschälten Knoblauchzehen fein hacken, in ein entsprechend großes verschließbares Glasgefäß füllen und mit Olivenöl versiegeln. Der Vorrat wird nicht schlecht, wenn man ihm vorsichtig vom Rand des Glases aus kleinere Mengen entnimmt und darauf achtet, dass an den Rest keine Luft herankommt. Im Frühling kann man für die *persillade* auch Bärlauch verwenden.

Pilze trocknen
(sécher les champignons)

Wer Glück hat, findet so viele Pilze, dass er nicht alle sofort verzehren kann und einen Teil davon trocknen möchte. Man sollte bei getrockneten Pilzen allerdings beachten, dass sie sehr viel intensiver schmecken als die frischen und deshalb sparsam einzusetzen sind.

Ofen auf 50° C (Umluft 30° C, Gas Stufe 1) vorheizen. Mit einem Papiertuch oder einer geeigneten Bürste die Pilze gründlich putzen und von Erde und anderen Anhaftungen befreien. In sehr dünne Lamellen schneiden und auf Backblechen verteilen. Für 1 Std. in den Ofen schieben. Herausnehmen und mit einem Papiertuch das Schwitzwasser abtupfen. Die Pilzstücke umdrehen und für 1 weitere Std. in den Ofen schieben. Abkühlen lassen und in einem luftdichten Behälter oder einer Plastiktüte aufbewahren. Getrocknete Pilze verderben nicht so schnell, sollten jedoch nicht länger als 1–2 Jahre gelagert werden. Um sie in einem Rezept zu verwenden, gebe man sie vorher einfach in einen siedenden Fond oder in siedendes Wasser und lasse sie darin aufquellen.

Rote-Bete-Blätter
(feuilles de betterave)

Wer sein eigenes Gemüse anbaut, versucht alles daran zu verwerten. Es ist schade, dass in Supermärkten die Blätter von Wurzelgemüse wie zum Beispiel roter Bete und Mairüben weggeworfen werden. Sie sind ebenso essbar wie die Knollen. Natürlich müssen sie vor der Zubereitung sorgfältig gewaschen werden. Rote-Bete-Blätter samt Stengel in einem geschlossenen Topf bei geringer Hitze in dem Wasser dämpfen, das ihnen vom Waschen anhaftet, bis es verdunstet ist und die Stengel gar sind. In eine Servierschüssel geben, mit Salz und frisch gemahlenem schwarzen Pfeffer würzen, mit Zitronensaft und Olivenöl beträufeln und locker vermengen. Bei Zimmertemperatur serviert, sind sie eine feine Alternative zu Spinat. Das Gemüse eignet sich auch als warme Beilage zu jedem Braten, gegrilltem Fleisch oder Fisch.

Salat und was man alles damit machen kann *(les salades et leurs multiples utilisations)*

Gründlich verlesen und gewaschen, eignen sich die äußeren, geschmacksintensiven Blätter des Kopfsalats auch gut als Suppeneinlage. Sie werden mit einer feingehackten Zwiebel in Butter angedünstet und dann in einer leichten Hühnerbrühe aufgekocht. Frischer Dill und ein paar Spritzer Zitronensaft verleihen der Suppe eine besondere Note. Mit einem Stabmixer pürieren, mit Salz und Pfeffer abschmecken und mit einem Klecks saurer Sahne heiß oder kalt servieren.

Salz *(sel)*

In der französischen Küche wird Salz für zweierlei Zwecke genutzt: zum Kochen, wofür man gewöhnliches, feinkörniges Salz verwendet, und zum nachträglichen Würzen, wozu nur edlere Salze in Frage kommen.

Fleur de sel, allgemein als »Kaviar« unter den Salzen bezeichnet, ist ein langsam schmelzendes, delikates Salz, das von Hand aus Salzseen an der französischen Küste geschöpft wird. Es sollte nicht mitgekocht werden, da sonst seine Qualitäten verlorengehen. Stattdessen streut man es vorsichtig zwischen den Fingern über das Essen.

Gros sel ist ein grobkörniges Meersalz, das überwiegend zur Vorbereitung haltbarer Gerichte wie *confits* oder *enchauds* verwendet wird.

Sel de Guérande ist das wohl bekannteste Meersalz, ein elegantes grobkörniges Meersalz *(gros sel)* aus dem gleichnamigen Ort in der südlichen Bretagne, dessen Marschen zweimal täglich vom Atlantik überflutet werden, wodurch Tümpel entstehen. Sonne und Wind lassen sie trockenfallen und eine Kruste aus kristallisiertem Salz entstehen, deren Oberfläche abgeschabt wird.

Sel gris, das »graue Salz«, ist ein grobkörniges Salz mit hoher Restfeuchte. Es entsteht auf ähnliche Weise wie *Fleur de sel,* wird aber unterhalb der Salzblume abgeschöpft, wo es mit den Sedimenten des Tümpels in Berührung gekommen ist. So erklären sich seine Farbe und der sehr viel intensivere mineralische Geschmack.

Schnecken säubern *(faire baver les escargots)*

Wer seine Weinbergschnecken selbst sammelt, sollte wissen, wie man sie säubert: Schnecken unter fließendem Wasser abspülen, damit sie sich selbst zu reinigen beginnen. In eine Weichholzkiste mit Deckel und Gitterboden legen, dazu etwas Dill geben, der sich positiv auf den Geschmack auswirkt. Nach 2–3 Tagen wieder unter fließendem Wasser abspülen. Anschließend die Schnecken über 3 Tage austrocknen lassen oder 1 Nacht lang in Salz einlegen. Nun in kochendes Wasser geben. Wenn das Wasser wieder aufwallt, die Schnecken mindestens 3 Min. lang mitkochen. Schnecken aus dem Topf nehmen und das Fleisch mit einem Haken aus der Schale lösen. Im Fall von *gros-gris*-Schnecken wird häufig die Bauchspeicheldrüse (*tortillon*) entfernt. Bei *petit-gris*-Schnecken ist dies nicht nötig. Für 15 Min. in Salzwasser legen; anschließend mit frischem Wasser abspülen. Jetzt kann man die Schnecken essen oder konservieren.

Wenn die Schnecken im Gehäuse serviert werden sollen, sind diese vorher in frischem Wasser, dem 20 g Backpulver zugegeben wurden, zu waschen und 20 Min. lang zu kochen, um sie zu sterilisieren.

Tomaten *(tomates)*

Tomaten trocknen *(sécher les tomates)* – Mit getrockneten Tomaten lassen sich nicht nur eine Suppe oder ein Eintopf im Winter aufpeppen. Sie sind auch die beste Antwort auf die Frage, was man im Sommer mit der Überfülle an Tomaten anfangen kann. 2,5 kg Tomaten längs halbieren. Backofen auf 50° C (Umluft 30° C, Gas Stufe 1) oder die niedrigste Temperaturstufe vorheizen. Tomatenhälften auf Kuchengittern dicht an dicht verteilen, aber so, dass sie sich nicht berühren. Mit etwas Salz bestreuen und die Kuchengitter auf Backbleche legen, damit das Tomatenwasser aufgefangen werden kann.

Backbleche in den Backofen schieben und Tomaten trocknen. Der Trockenvorgang kann 6–12 Std. dauern. Es empfiehlt sich, zwischendurch nachzuschauen. Die Tomaten sollten sich am Ende trocken anfühlen, aber flexibel und nicht brüchig sein. Nach Abschluss des Trockenvorgangs Kuchengitter aus dem Ofen nehmen und Tomaten darauf abkühlen lassen.

Brunos Tipp: Getrocknete Tomaten können in sauberen Einmachgläsern oder Plastikbeuteln aufbewahrt werden. Sie sind auf ca. ½ l (2 große Becher) zusammengeschrumpft und halten lange.

Tomatensauce *(sauce tomate)*

Für seine Tomatensauce kocht Bruno zuerst das Tomatenfleisch und fügt den Saft später hinzu, unabhängig davon, ob er frische oder eingemachte Tomaten verarbeitet. Frische Tomaten kreuzweise mit einem scharfen Messer einritzen, mit kochendem Wasser überbrühen und kalt abschrecken, um anschließend die Haut abzuziehen.

Tomaten halbieren, die Stielansätze entfernen. Kerne herauskratzen und in einem Sieb über einer Schüssel auffangen. Tomatenhälften grob zerkleinern. Einen Schuss Olivenöl in eine Pfanne geben, bei mittlerer Stufe erhitzen. Tomatenfleisch beigeben. Sobald es zu karamellisieren beginnt, durch ein Sieb in eine Schüssel streichen. Mit Salz und einer Prise Zucker würzen.

Thymian *(thym)*

Thymian ist eines der am vielfältigsten nutzbaren Kräuter. Im antiken Griechenland wurde Thymian als Badezusatz verwendet, weil man sich davon einen Zuwachs an Mut versprach. Die Römer würzten mit Thymian die Raumluft, und bis heute setzen die Großmütter im Périgord mit den getrockneten Blättern einen Tee zur Linderung von Husten und Bronchitis auf. Ein mit getrocknetem Thymian gefülltes Säckchen unter dem Kopfkissen soll für einen guten Schlaf und die Abwehr von Alpträumen sorgen.

Vanillezucker *(sucre vanillé)*

Neben einer erstaunlichen Vielfalt von Oliven hat der Olivenhändler auf dem Markt von Saint-Denis auch Vanilleschoten aus Madagaskar im Angebot, wo er mit seiner Familie Urlaub macht, wenn die Sommersaison in der Dordogne vorüber ist.

Vanille ist teuer. Eine verbrauchte Schote, mit deren Mark etwa ein Pudding oder Sahne gewürzt wurde, sollte deshalb nicht weggeworfen werden. Man kann sie zur Herstellung von Vanillezucker verwenden, der zu jedem Dessertrezept passt, das nach einer Vanillenote verlangt.

Vanilleschote abspülen, mit Küchenpapier trockentupfen und in einen Behälter mit Zucker gegeben. Je mehr Schoten zum Einsatz kommen, desto kräftiger wird der Zucker aromatisiert. Vor dem Gebrauch ein paar Wochen durchziehen lassen. Auf genaue Mengen kommt es nicht an – man verwende, was man hat, und stocke je nach Bedarf mit Schoten wieder auf, die dann mit Zucker bedeckt werden. Vanilleschoten und Zucker können auch im Mixer zusammen zerkleinert werden. Das Ergebnis ist ein fast lilafarbener Puderzucker.

Verjus

Wer einen Weingarten hat, findet mit diesem Rezept eine gute Verwendung für saure, unreife Trauben. 4 cm *verjus* in einem großen Glas eisgekühlten Mineralwassers ergeben ein erfrischendes Sommergetränk. Möglichst viele kernlose grüne Trauben ernten, durch eine Passiermühle (»Flotte Lotte«) drehen oder von Hand stampfen und in ein sauberes Gefäß seihen. Ein weiteres Mal durch ein mit Küchenpapier ausgeschlagenes Sieb filtern und die aufgefangene Flüssigkeit mit ein wenig Wasser in eine Kasserolle geben. Zum Kochen bringen, um Hefesporen abzutöten. Die Kasserolle vom Herd nehmen, abkühlen lassen und den Saft in sterilisierte Flaschen oder Einmachgläser füllen. Im Kühlschrank hält sich *verjus* mehrere Wochen, noch länger in der Kühltruhe, wo er zuerst in Eiswürfelbehältern tiefgefroren und dann in Gefrierbeuteln gelagert werden kann.

Brunos Tipp: Sieht ein Rezept *verjus* vor und es ist keiner zur Hand, kann man sich stattdessen mit Zitronensaft oder einem leichten Fruchtessig behelfen.

Vinaigrette

Jeder Franzose wird es bestätigen: Das Geheimnis einer frisch und rein schmeckenden klassischen Vinaigrette besteht darin, dass man die Zutaten wie Senf, Zucker oder Knoblauch vernachlässigt und sich auf bestes Olivenöl und Essig beschränkt – und natürlich ein bisschen Salz. Bruno verfährt ebenso, wendet aber noch einen besonderen Kniff an. Er benetzt die Salatblätter zuerst nur mit Öl, das einen viskosen Film bildet, an dem kleinste Essigtröpfchen für Säure sorgen.

Waldschnepfe *(bécasse)*

Manchmal gönnt sich Bruno etwas Besonderes: eine gebratene Waldschnepfe *(bécasse)*, die er jedoch – anders als Wachteln (Rezept S. 115) – ohne Weinblätter zubereitet.

Mit dem Winter kommt auch die Waldschnepfe, ein Vogel mit gedrungenem Körper, kurzen Beinen und einem langen, geraden Schnabel. Das nachtaktive Tier versteckt sich tagsüber im Dickicht. Dank seines gesprenkelten braunen Gefieders ist es gut getarnt, was Bruno bei der Jagd auf dieses Tier als zusätzliche, reizvolle Herausforderung versteht. Und die nimmt er manchmal an, meist während seiner manchmal deswegen sehr ausgedehnten Mittagspausen, voller Spannung und Vorfreude auf den Genuss des zarten Fleisches und auf einen ganz besonderen Gaumenschmaus: den gerösteter Leber auf Toast. Balzac darf ihn dann nicht begleiten. Eine Waldschnepfe zu erlegen, verlangt viel Geschick und Spürsinn. Aus ihrem Versteck aufgeschreckt, rennt sie im Zickzack durch das Unterholz, bevor sie aufsteigt und zwischen den Bäumen und Büschen hin und her schwirrt, um schließlich wieder unversehens im Dickicht abzutauchen.

Walnüsse *(noix)*

Im Périgord bezeichnet man die Walnuss schlicht und einfach als *la noix*, die Nuss. Sie ist ausgesprochen schmackhaft und auf vielfältigste Weise verwendbar. Ihr Öl verleiht jedem Salat Eleganz und Aroma. Den bereits vor dem 21. Juni gesammelten grünen Hüllen verdanken wir den *vin de noix*. Nach der Sonnenwende sind sie zu hart, um den Wein in sich aufzunehmen. Die zerstoßenen Kerne schmecken köstlich in Kuchen und Salaten und sind der wesentliche Bestandteil des für das Périgord typischen Desserts, der *tarte aux noix*. Im Périgord kennen wir drei verschiedene Sorten Walnüsse: Die größten sind die flach und stumpf zulaufenden *marbots*. Die *grandjeans* sind rund und blasser und lassen sich gut schälen. Die *cornes* schließlich haben eine harte Schale und sind klein und sehr aromatisch. Das Gleiche gilt für Haselnüsse. Ihr Öl hat einen ganz eigenen, identifizierbaren Geschmack, der jeder Vinaigrette eine besondere Note verleiht. Beide Öle sollten im Dunkeln gelagert werden, sonst werden sie bitter. Überhaupt halten sie sich nicht so lange wie andere Öle. Darum ist es nicht ratsam, sie in größeren Mengen zu kaufen oder nur für besondere Anlässe aufzubewahren.

Wasserbad *(bain-marie)*

Eine *bain-marie* ist ein doppelwandiger Topf zur Verarbeitung von Zutaten, die nur langsam und kontrolliert erwärmt werden dürfen, weil sie bei zu starker Erhitzung gerinnen würden, wie z.B. Eigelbe für eine *crème anglaise* (siehe Rezept S. 179). Vergleichbare Ergebnisse lassen sich mit einem hitzebeständigen Gefäß erzielen, das in ein heißes Wasserbad getaucht wird.

Zucchini und was man alles damit machen kann *(les courgettes et leurs multiples utilisations)*

Das im Garten und auf den Märkten überreiche Angebot an dieser kleinen Kürbisfrucht weckt den Wunsch nach neuen Ideen für ihre Verwendung. Besonders große Zucchini, aus denen man mit einem Löffel das Kerngewebe herausgeschabt hat, können mit Hackfleisch oder Gemüse gefüllt und in einem guten Fond oder einer dünnen Tomatensauce gekocht werden. Aus kleineren Zucchini, die noch nicht größer als eine Banane sind, lässt sich eine wunderbare Alternative zu Nudeln herstellen. Dafür schneidet man mit einem Kartoffelschäler von der Längsseite der Zucchini dünne Streifen ab, bis das Kerngewebe erreicht ist. Zucchini-Frucht um 90 Grad drehen und so weiterverfahren. Die Zucchini-Streifen werden entsprechend schmaler. Kurz blanchieren (zum Blanchieren siehe S. 293). Zucchini-Streifen können mit einer beliebigen Pastasauce serviert werden, zum Beispiel einer einfachen Tomatensauce oder einer Sauce Bolognese. Aus den Streifen lässt sich auch mit frischen gehackten Kräutern (am besten etwas gehackter Schnittlauch und gehackte Minze) und einer Zitronen-Vinaigrette auch ein herrlich knackiger *salade de courgettes* anrichten, der noch dazu schön aussieht.

RECETTES PAR ORDRE ALPHABÉTIQUE ALLEMAND-FRANÇAIS

Rezepte alphabetisch deutsch-französisch

Deutsch

Französisch

RECETTES PAR INGRÉDIENTS

Rezepte nach Zutaten

Damit Sie die Rezepte mit bestimmten Zutaten noch schneller finden, stehen in diesem Register zusätzlich auch Zutaten wie Chicorée *oder* Steinpilze *– ebenfalls alphabetisch geordnet und hervorgehoben – über den entsprechenden Rezepten.*

PRODUITS DU TERROIR

Bezugsquellen für Spezialitäten aus dem Périgord

Foie gras (Stopfleber) und andere Gänse- und Entenspezialitäten mit dem Herkunftssiegel der Region IGP (Indication Géographique Protégée):

Valérie Crouzel
Maison Crouzel
»Le Temple«
24590 Salignac Eyvigues
+33 5 53 28 80 83
Website auch deutsch mit Bestellmöglichkeit:
www.crouzel.com
—
Maison Godard-Chambon et Marrel
+33 5 65 41 03 97
Bestellmöglichkeit via französische Website:
www.foie-gras-godard.fr
oder in Deutschland via:
- Mein Weinreich
Klenzestraße 54
80469 München
+49 89 23076177
www.mein-weinreich.de
- Le marché Käse & Wein
Rizzastraße 51
56068 Koblenz
+49 261 9143507
—
Jacques Valette
Maison Valette
46300 Saint Clair
+33 5 65 41 06 02,
Website französisch:
www.valette.fr
Bestellungen telefonisch auf Französisch und Englisch:
+33 825 82 57 44
—
Cédric Depenweiler
Maison Lembert
24220 Beynac-Cazenac
+33 5 53 29 50 45,
Website französisch mit Bestellmöglichkeit:
www.lembertfoiesgras.com

Cabécou du Périgord:

Fromagerie Valadou
»La Rivière«
24520 Saint-Agne
+ 33 5 53 22 89
Direktverkauf Di–Fr, 8–12 h / 14–17 h sowie auf den Märkten von Bergerac (Mi+Sa), Lalinde (Do)

Für weitere Bezugsmöglichkeiten in der Region siehe:
www.cabecou-perigord.com

Fromagerie la Picandine S.A.S.
La Borie
24110 Saint Astier
+33 5 53 02 74 00
oder via Rians
+33 248 66 22 00,
www.rians.com

Walnüsse aus dem Périgord (Noix du Périgord), mit dem zertifizierten Herkunftssiegel AOP (Appellation d'Origine protégée):

Jean-Christophe Mouret, EARL
Les Vergers de la Guillou
24302 Nailhac
+33 6 31 08 94 60
Website auch deutsch mit Bestellmöglichkeit:
www.lesvergersdelaguillou.com

Maronen:

Inovchataigne Sarl
Rue du Périgord 4
24400 Mussidan
+33 5 53 80 48 08
www.inovfruit.com

Vins de noix (Walnusswein):

Distillerie La Salamandre
24200 Sarlat
Website französisch Bestellmöglichkeit:
www.distillerie-salamandre.com
—
Distillerie Clovis Reymond
24140 Villamblard
+33 553 81 90 01
www.clovisreymond.com
—
Distillerie de la Trappe
24200 Sarlat
+33 5 53 59 47 27
Website französisch mit Bestellmöglichkeit:
www.distillerie-de-la-trappe.com

Wein (Auswahl):

Domaine de l'Ancienne Cure
24560 Colombier
+33 553 58 27 90
www.domaine-anciennecure.fr
—
Château Belingard
24240 Pomport
+33 553 58 28 03
www.chateaubelingard.com

Château Briand
24240 Ribagnac
+33 6 83 33 48 83
www.chateaubriand.over-blog.com
—
Château Haut-Bernasse
24240 Monbazillac
+33 553 58 36 22
www.haut-bernasse.com
—
Château Champarel, Pécharmant
24100 Bergerac
+33 553 57 34 765
—
Domaine des Costes
24100 Bergerac
+33 553 57 64 49
www.domaine-des-costes-rouges.fr
—
Château des Eyssards
24240 Monestier
+33 553 24 36 36
www.chateaudeseyssards.com
—
Château Le Fagé
24240 Pomport
+33 553 58 32 55
www.chateau-le-fage.com
—
Château Feely
La Garrigue
24240 Saussignac
+33 553 22 72 71
www.feelywines.com
—
Château Grinou
24240 Monestier
+33 553 58 46 63
www.chateaugrinou.com
—
Château de la Jaubertie
24240 Colombier
+33 553 58 32 11
www.chateau-jaubertie.com
—
Château K
Fougeyrat
24240 Saussignac
+33 553 58 79 60
www.chateau-k.com
—
Château de Monbazillac
Le Bourg
24240 Monbazillac
+33 553 61 52 52
www.chateau-monbazillac.com
—
Château Monestier
La Tour, 24240 Monestier
+33 553 24 18 43
www.chateaumonestierlatour.com

Julien de Savignac
24260 Le Bugue
+33 553 07 10 31
www.julien.de.savignac.com
—
Château Laulerie
24610 Saint Méard de Gurçon
+33 553 82 48 31
—
Château Puy Servain
Port-Sainte-Foy-et-Ponchapt
+33 553 24 77 27
—
Château Le Raz
24610 Saint Méard de Gurçon
+33 553 82 48 41
www.le-raz.com
—
Château Terre Vieille
»Grateloup«
24520 Saint Sauveur de Bergerac
+33 553 57 35 07
www.terrevieille.com
—
Château Thénac
Le Bourg
24240 Thénac
+33 553-613685
www.chateau-thenac.com
—
Tirecul la Gravière
24240 Monbazillac
+33 553 57 44 75
www.tirecul-la-graviere.com
—
Château de Tiregand
24100 Creysse
+33 553 23 21 08
www.chateau-de-tiregand.com
—
Tour des Gendres
24240 Ribagnac
+33 553 57 12 43
www.chateaudesgendres.com
—
Château Tourmentine
24240 Monestier
+33 553 58 41 41
www.chateau-tourmentine.fr
—
Château les Tours des Verdots
24560 Conne-de-Labarde
+33 553 58 34 31
www.verdots.com
—
Château La Vieille Bergerie
24100 Lembras
+33 553 61 35 19
www.vieille-bergerie.fr
—
Clos d'Yvigne
24240 Gageac-et-Rouillac
+33 553 22 94 40
www.closdyvigne.com

REMERCIEMENTS

Danksagungen

Dieses Kochbuch ist in ungewöhnlichem Ausmaß das Ergebnis kollektiver Anstrengung. Es verdankt sich vielen Generationen von Männern und Frauen des Périgord, die über Jahrhunderte eine unverwechselbare und hoch gepriesene regionale Küche entwickelt haben, auf die ganz Frankreich stolz ist.

Viele haben an diesem Buch direkt mitgewirkt und verdienen besonderen Dank, allen voran meine Frau und Co-Autorin Julia Watson, eine angesehene Gourmetkolumnistin, die seit Beginn am *Bruno*-Projekt beteiligt ist.

Pierre Simonet, unser Dorfpolizist, dessen lockere Art und wundervolle Kochkünste mich auf die Idee für meinen Bruno gebracht haben, verwöhnte uns schon oft mit unvergesslichen Gerichten und verriet mir die feineren Tricks der Zubereitung einer *omelette aux truffes*, von *bécasses*, der Füllung für Wildschweinbraten oder von Schwarzer-Johannisbeer-Marmelade.

Viel Hilfe erhielten wir von unserer Freundin Christine Schurrmann, einer versierten Köchin, an deren Tisch ich schon seit vielen Jahren glücklich schlemmen darf und die selbst einen prächtigen *potager* pflegt.

Anna von Planta, meine Lektorin bei Diogenes, arbeitete mit heroischem Einsatz an diesem Buch, kochte jedes einzelne Rezept nach und spannte dafür die gesamte Lektoratsmannschaft des Verlagshauses ein (insbesondere Ursula Baumhauer, Anna Galizia, Sandra Imboden, Stephanie Tettamanti, Regina Treier, Margaux de Weck und Silvia Zanovello). Klaus-Maria Einwanger reiste zu uns ins Périgord, um Fotos zu machen und von jedem Gericht zu probieren. Voller Begeisterung fotografierte er die Gerichte genau so, wie sie aus unserer Küche kamen, und bewusst nicht eigens aufgehübscht mit den Mitteln moderner Fotostudios und Food-Stylisten. Kobi Benezri schuf das großartige und innovative Buchdesign. Er und Klaus kamen gerade rechtzeitig, um vor der Holzhütte unseres Jagdvereins an einem Festgelage unter freiem Himmel teilzunehmen, für das ein Wildschwein am Spieß geröstet wurde.

Wir wären wohl nie ins Périgord gezogen, ohne die Freundschaft und Gastlichkeit von Gabrielle Merchez und Michael Mills erfahren zu haben, die vor über dreißig Jahren begonnen haben, uns die Spezialitäten und Weine der Region schmackhaft zu machen. Gabrielle war und ist für mich eine Orientierung in allen französischen Belangen; die *Bruno*-Romane, die sie so wunderbar ins Französische übersetzt, und dieses Kochbuch, für das sie freundlicherweise auch die darin verwendeten französischen Begriffe überprüfte, verdanken ihr enorm viel.

Unsere Töchter Kate und Fanny sind als Partnerinnen ganz wesentlich am *Bruno*-Projekt beteiligt. Kate unterhält die Website www.brunochiefofpolice.com, die inzwischen auf Englisch, Französisch und Deutsch mit Brunos Rezepten und Weinempfehlungen aufwartet. Fanny, die auf die Stimmigkeit aller Orts- und Figurenbeschreibungen in den einzelnen Folgen achtet, hat noch einmal alle Bände durchgesehen und sichergestellt, dass keines der darin erwähnten Gerichte in diesem Kochbuch fehlt.

Benson, unser Familienhund, begleitet meine kulinarischen Abenteuer und Experimente als einer meiner engagiertesten und treusten Vorkoster. Er ist unerschrockener Gefährte meiner Marktbesuche und Streifzüge durch die Wälder und wie sein Vorgänger Bothwell ein Garant für viele neue Bekanntschaften, sowohl unter seinen als auch meinen Artgenossen.

Unsere liebe Freundin Christine Sieger, ebenfalls eine großartige Köchin und gebürtige Stuttgarterin, die seit über zwanzig Jahren im Périgord lebt, hat uns in der Küche geholfen und einige ihrer Lieblingsrezepte beigetragen. Sie und ihr Ehemann Hannes luden uns in ihr wunderschönes Schlösschen ein, wo Hannes, ein Rechtsanwalt im Ruhestand, Forellen in einem selbst entworfenen und angefertigten Räucherofen räuchert. Christine besaß eine eigene Galerie in München, half bei der Bewirtschaftung eines Weinguts in den Vereinigten Staaten und backt die beste *tarte au citron*, die ich je gegessen habe.

Oft sitzen wir zu Tisch bei unseren gastlichen Freunden Raymond Bounichou und Francette Bogros, die uns beigebracht haben, wie ein *pot-au-feu* oder eine *blanquette de veau* am besten zubereitet wird. Raymond, ein pensionierter Offizier der Gendarmerie, ist mein juristischer und verwaltungstechnischer Ratgeber. Ohne Francettes Hilfe sähe mein Gemüsegarten wohl eher traurig aus. Jeannot Picot, im Freundeskreis nur ›der Baron‹ genannt, hat uns mit *la mique* bekannt gemacht, einer Knödelspezialität des Périgord, und uns von seiner wundervollen *tarte aux tomates* kosten lassen.

Denis und Muriel Le Maout kochten für mich den leckersten Lammbraten, den ich je gegessen habe. Viel Unterstützung leistete auch Meg Bortin, eine befreundete Journalistin, die für den Blog *Everyday French Chef* verantwortlich ist, den ich nur empfehlen kann.

Auch Gérard Labrousse, ehemaliger Bürgermeister und ein Freund von mir, bewirtet mich immer wieder aufs Feinste. Wie sein Vorgänger Gérard Fayolle hat er seinen Beitrag dafür geleistet, dass unser Wochenmarkt zu den besten der Region zählt. Jo und Colette da Cunha setzten unsere Ausbildung fort, unterstützt vom ›Baron‹, der mir beibrachte, wie man *vin de noix* herstellt. Während meines ersten Jahres in unserem Haus im Périgord machte mich Jo sogleich mit regionalen Traditionen bekannt und erlaubte mir, beim Keltern der Trauben aus seinem eigenen Anbau zu helfen. Später führte er mich zum *bouilleur ambulant*, einem mobilen Schnapsbrenner, der mit seiner Destille aus dem 19. Jahrhundert über Land fährt und aus unseren Früchten das *eau de vie* brennt, aus dem wir unseren *vin de noix* herstellen.

Xavier und Pascale Cauet vom Café Cauet in Le Bugue haben uns in ihre alte Bäckerskunst eingeführt, ungemein köstliche Croissants zum Espresso serviert, und Xavier stellt als *maître-chocolatier* sensationelle Pralinen her, unter anderem mit Trüffel-, Steinpilz- und Safranaroma. Freunde aus dem Tennisklub gingen das Wagnis ein, mich in den Dienstplan für die Bewirtung aller Gäste des einmal im Jahr stattfindenden Turniers miteinzubeziehen. Sie erlaubten mir sogar, eine neue Tradition einzuführen, so dass nunmehr ein *sanglier*, der über glühender Holzkohle geröstet werden soll, vorher mit einem guten Schluck schottischen Whiskys getauft wird. Den Jagdvereinen der Region verdanke ich so manches denkwürdige Festessen.

Großen Dank schulde ich meinem Freund Stéphane Bounichou, der den besten Käsestand in der Region betreibt, an dem er unter anderem seinen vorzüglichen *tomme d'Audrix* aus eigener Produktion verkauft. Er stellt auch noch andere Käsesorten her, Joghurtprodukte und Butter, die er in seiner Fromagerie Audrix anbietet. Er hat es sich zur Aufgabe gemacht, uns mit den rund 300 verschiedenen Käsesorten Frankreichs bekannt zu machen. Er nahm mich auf die Märkte mit, wo ich anfing zu begreifen, wie schwer die Händler arbeiten und wie früh sie aufstehen müssen, damit (selbst im Winter, wenn es um diese Uhrzeit noch dunkel ist) pünktlich um acht ihre Stände aufgebaut sind. Durch ihn lernte ich die Rhythmen der Märkte kennen: den Stoßverkehr am frühen Morgen, die ruhigere Zeit, wenn sich die Händler zu ihrem *casse-croûte* (einem Imbiss am Vormittag) zusammenfinden, dann den Ansturm der Touristen gegen elf und die Menge derer, die kurz vor Mittag einkaufen.

Meine Freunde und Nachbarn wie auch viele Restaurants der Umgebung sorgten für meine kulinarische Erziehung und zeigten mir und meiner Familie, wie vielfältig die regionale Küche ist, die weit mehr zu bieten hat als das gängige Touristenmenü aus *foie gras, confit de canard et ses pommes de terre à la sarladaise* und *tarte aux noix*. Als Erstes lernte ich, dass die echten *pommes de terre à la sarladaise* Trüffeln enthalten. Es war auf einem Nachtmarkt in Audrix, wo mir empfohlen wurde, *foie de canard poêlé* mit Honig und Balsamico-Essig zuzubereiten. Jean-François Roudier von der Ferme du Lac Noir in Saint-Avit-de-Vialard brachte mir einiges über Enten und *foie gras* bei. Meine Freunde von der Confrérie du Pâté de Périgueux weihten mich in die Kunst der Zubereitung einer perfekten Pastete ein, zu der nicht zuletzt Trüffeln gehören. Édouard Aynaut vom Gut Péchalifour in Saint-Cyprien unterrichtete mich in Sachen Trüffeln und führte mich über den Trüffelmarkt von Sainte-Alvère, der sich zu einer Art Wallfahrtsstätte für Feinschmecker entwickelt hat. Dem Bürgermeister und dem Rat von Sainte-Alvère bin ich dankbar dafür, dass sie mich zum Ehrenbürger ernannt haben.

Micheline Morrissonneau und ihre Kollegen vom Fremdenverkehrsbüro Dordogne haben mir schon viel Hilfe am *Bruno*-Projekt zuteilwerden lassen und nun auch an diesem Kochbuch, zu dem sie einen Großteil der Bezugsquellen für Spezialitäten aus dem Périgord beisteuerten, inkl. Listen von Händlern im deutschen Sprachraum, die Delikatessen des Périgord in ihr Sortiment aufgenommen haben. Marie-Pierre Tamagnon und Anne Lataste von Vins de Bergerac unternahmen Entsprechendes für Weine. Sie brachten mir viel über das Essen und Trinken in der Region bei und beehrten mich mit dem Vorsitz der Jury des Prix-Ragueneau-Kochpreises. Es fing damit an, dass wir im Château Thénac zu Mittag aßen und bis um fünf Uhr nachmittags Weine verkosteten. Zwei Stunden später trafen wir uns im Restaurant Vieux Logis wieder und dinierten bis Mitternacht. Am nächsten Tag fand der Wettbewerb statt. Es ging los mit einem (aus getrüffelten Rühreiern, Trüffelpastete, Käse mit Trüffelscheiben bestehenden) *casse-croûte* auf dem Trüffelmarkt von Sainte-Alvère, dann gab es Mittagessen, und wir schlemmten, bis wir uns kaum mehr bewegen konnten. Im *Maison des vins* in Bergerac wurden am späten Abend schließlich die Preise überreicht.

Es kommt mir manchmal so vor, als habe uns die halbe Bevölkerung der Region mit den hiesigen Weinen vertraut gemacht. Patrick Montfort, sein Sohn Julien und die Mitarbeiter des zu Recht gerühmten Weinkellers von Julien de Savignac in Le Bugue waren Lehrer, die inzwischen zu Freunden geworden sind. Eine ehemalige Mitarbeiterin führt inzwischen die hervorragende Weinbar Chai Monique in Le Bugue; natürlich folgten wir ihren Empfehlungen. Im Weinkapitel dieses Buches ist von den vielen Weinproduzenten der Region die Rede, die ich kennenlernen durfte. Francis-Xavier de Saint-Exupéry von Château Tiregand, Pierre Desmartis von Château de La Vieille Bergerie sowie Caro und Sean Feely von Château Haut Garrigue habe ich besonders ins Herz geschlossen.

Restaurantbesuche sind immer sehr lehrreich. Unser Favorit ist Le Vieux Logis in Trémolat. Gern lassen wir uns auch in der Auberge Le Roussel in Le Buisson, in der Auberge médiévale in Audrix und Chez Julien in Paunat heimische Spezialitäten schmecken. Allein schon für eine Stippvisite im La Tupina lohnt sich eine Fahrt nach Bordeaux. Gleiches gilt für La Table du Marché in Bergerac.

Wie meiner überaus engagierten Lektorin Anna von Planta muss ich auch anderen Freunden bei Diogenes danken, angefangen bei Verleger Philipp Keel, der das Risiko nicht gescheut hat, ein *Bruno*-Kochbuch in sein hochrenommiertes literarisches Verlagsprogramm aufzunehmen. Ruth Geiger, Kerstin Beaujean und Helga Mühl wirken Wunder bei der Vermarktung meiner Bücher. Catherine Schlumberger organisiert mit viel Geschick meine Lesereisen, Cornelia Eberle bringt die Verträge in »trockene Tücher«, und Renata Sielemann leistet mit ihrem Team vorzügliche Werbung. Winfried Stephan und Stefan Fritsch leisten mir großartige Unterstützung und haben sich ebenfalls ins Périgord verliebt. Die *Bruno*-Krimis wären niemals so erfolgreich geworden ohne das wunderbare Diogenes-Vertreterteam, bestehend aus Annick Achour, Marlene Diehl, Andrea und Wilfried Erler, Christopher Gulde, Sibylle Jud, Klaus Kaltenbach, Mario Max, Denise Mosiman, Tilman Solleder, Edda Striemer, Reinhard und Bettina Vogel, Bettina Wagner und Georg Zwölfer. Zu guter Letzt danke ich dem Übersetzer Michael Windgassen, der seit den Anfängen Brunos »deutsche Stimme« ist.

Einen ganz besonderen Dank schulde ich Murielle Rousseau für ihre hervorragende redaktionelle Mitarbeit an den Rezepten, Peter Brunner von Kaiser's Reblaube in Zürich, Heidi Rohde, Monika Küng und Katharina Galizia für ihre erstklassige Beratung, Winfried Stephan und Volker Drabe für ihre Pilzexpertise, Peter Rüedi für seinen überaus wertvollen Beitrag zum Weinkapitel, Karin Sirera für die ausgezeichnete typographische Betreuung dieses Buches sowie Kerstin Beaujean, Helga Mühl, Dominik Süess, Kati Hertzsch, Leopold Kause und Antonio Sirera für ihre genaue und kritische Lektüre.

Un grand merci à toutes et à tous!

Martin Walker

Dieses Buch ist allen Lesern meiner Bruno-Romane gewidmet, in der Hoffnung, dass sie die Gerichte aus dem Périgord ebenso gern kochen und genießen wie wir.

Titel des Originals: ›Bruno's Cookbook‹

Die Geschichte *Markttag* wurde von Martin Walker eigens
für diesen Band geschrieben, die Geschichte *Die Weihnachtsgans*
erschien zuerst unter dem Titel *Bruno und Knecht Ruprecht*
in der Anthologie *Lamettaleichen*, Diogenes, Zürich 2012
Umschlaggestaltung: Kobi Benezri
Bildnachweis: Alle Bilder von Klaus-Maria Einwanger

Gestaltung: Kobi Benezri
Übersetzungen aus dem Englischen:
Michael Windgassen

www.diogenes.ch
250/14/21/2
ISBN 978 3 257 06914 3

Bitte beachten Sie
auch die folgende Seite

Martin Walkers Bruno-Romane im Diogenes Verlag

»Martin Walker hat eine der schönsten Regionen Frankreichs, das Périgord, zum Krimiland erhoben und damit erst für die Literatur erschlossen.«
Die Welt, Berlin

Bruno, Chef de police
Roman

Grand Cru
Der zweite Fall für Bruno, Chef de police
Roman

Schwarze Diamanten
Der dritte Fall für Bruno, Chef de police
Roman

Delikatessen
Der vierte Fall für Bruno, Chef de police
Roman

Femme fatale
Der fünfte Fall für Bruno, Chef de police
Roman

Reiner Wein
Der sechste Fall für Bruno, Chef de police
Roman

Weitere Fälle in Vorbereitung

Alle Romane aus dem Englischen von Michael Windgassen
Alle Romane auch als Diogenes Hörbuch, gelesen von Johannes Steck

MARTIN WALKER, geboren 1947 in Schottland, ist Schriftsteller, Historiker und politischer Journalist. Er lebt in Washington und im Périgord und war 25 Jahre lang Journalist bei der britischen Tageszeitung *The Guardian.* Heute ist er Vorsitzender eines Think-Tanks für Topmanager mit Sitz in Washington. Seine *Bruno*-Romane erscheinen in 15 Sprachen. Deutsche Gesamtauflage der Bruno-Krimis über 1,2 Millionen Exemplare.
Die Gaumenfreuden des Périgord sind aus Brunos Ermittlungen nicht wegzudenken.

JULIA WATSON, geboren in London, Korrespondentin für die Londoner Zeitungen *Daily Mail* und *Evening Standard* in Moskau, später in Washington Korrespondentin für den Londoner *Daily Express,* Gourmet-Kolumnistin für *United Press International* (UPI), *Washington Post* und *Gourmet magazine.* Sie lebt in Washington, Schottland und im Périgord.